SOIGNEZ-VOUS
AVEC LE VINAIGRE
ET LE CITRON

Bruno Grelon
L. Piatti Podini

SOIGNEZ-VOUS AVEC LE VINAIGRE ET LE CITRON

Première partie
Le vinaigre

Un peu d'histoire

L'histoire du vinaigre est liée à la découverte de la fermentation. Du jour où les hommes ont constaté qu'un jus de plante ou de fruit, laissé à l'air libre, par un processus inconnu, tendait à se changer en un liquide au goût curieux, différent et pas désagréable, ils ont compris que la nature lui offrait une nouvelle vie. Mais ce liquide fermenté pouvait à son tour se transformer et devenir plus acide. Comme l'homme s'adapte et sait tirer parti de toute chose, il a essayé puis su utiliser les étonnantes propriétés de ce « vin aigre ».

Les premières traces de fabrication du vinaigre datent d'environ 3 000 ans avant J.-C. dans le berceau de la civilisation occidentale, en Égypte et en Mésopotamie, tout comme de l'autre côté du monde, en Chine. Bien entendu, la Bible, ouvrage de référence pour le vin (il y est cité environ six cents fois), ne manque pas de mentionner le vinaigre. Le Livre de Ruth (II, 14), entre autres, évoque ceci : « Et Booz lui dit : "Quand l'heure sera venue, venez ici et mangez votre pain et trempez votre morceau dans le vinaigre." »

L'Inde connaît la fabrication du vinaigre de sève de palmier ou de sagou (fécule de moelle de certains palmiers) depuis des temps très lointains.

On sait que les deux grandes civilisations antiques, les Grecs et les Romains, avaient découvert un certain nombre de propriétés du vinaigre, comme celle de conserver des aliments, en particulier du gibier, et celle de favoriser la digestion. Bien entendu, ils utilisaient cet ingrédient afin de relever le goût de la nourriture. Ainsi, on sait qu'ils trempaient leur pain dans une sauce composée d'huile d'olive et de vinaigre, parfumée de miel et d'épices. Elle était contenue dans des coupes particulières, nommées « vinaigriers », que l'on plaçait emplies de vinaigre sur la table à manger. Cette « vinai-grette » pouvait également servir à assaisonner certains plats. Ils n'hésitaient pas à l'aromatiser également, par macération, en utilisant des fleurs ou des fruits.

Le premier « antibiotique »

La découverte de l'aptitude du vinaigre à rendre une boisson thérapeutique ou hygiénique a probablement déclenché l'intérêt pour cette substance. En effet, les légionnaires romains buvaient de l'eau légèrement additionnée de vinaigre appelée *posca*. Sans doute était-ce un moyen d'assainir le liquide de ses multiples impuretés et par là même d'éviter les maladies. En campagne, précise un latiniste, « chaque soldat était obligé d'en avoir une bouteille dans son équipage. L'empereur Pescennius avait interdit toute autre boisson à son armée, y compris pour les officiers. » Par ailleurs, les historiens citent Hippocrate qui dit que « le vinaigre est rafraîchissant » et qu'il fallait en donner « aux moisson-neurs et à ceux qui travaillaient à la campagne ». L'eau ainsi acidulée était plus rafraîchissante et c'est par com-passion que le légionnaire humecte les lèvres du Christ au Golgotha d'une éponge trempée dans du vinaigre.

Royal dîner

C'est Cléopâtre, dit-on, qui fit entrer le vinaigre dans l'histoire, à travers un pari qu'elle fit avec Antoine et dont l'enjeu était de manger un repas d'un million de sesterces. La reine d'Égypte, qui connaissait les propriétés chimiques de ce liquide, choisit une énorme et magnifique perle dont la valeur était quasiment inestimable. Elle la déposa dans une coupe remplie de vinaigre au début du banquet, puis, à la fin du repas, elle but tout simplement le liquide dans lequel la perle s'était dissoute !

En cuisine, le vinaigre était aussi fort utilisé chez les Romains. On cite souvent maître Apicius, surnommé le « roi des gastronomes », qui prône la conservation des légumes comme les choux par une immersion dans des jarres contenant du vinaigre, du garum[1] et de la livèche[2], le tout placé à la cave !

Outre son côté « antibiotique » avant l'heure, il semblerait que la médecine antique considérait également le vinaigre comme un bon sédatif, tandis que quelques textes lui prêtent des vertus aphrodisiaques, tout comme la médecine chinoise qui attribue cette vertu au vinaigre au clou de girofle. Après tout, pourquoi pas, si l'on en croit les légendes qui courent sur les amours du roi Salomon et de la reine de Saba, qui évoquent un remède que le monarque aurait utilisé avec succès alors qu'il souffrait d'impuissance : un mélange de vinaigre avec une mystérieuse « huile de Tirba ».

Une corporation officielle

Au fur et à mesure que le vinaigre est adopté dans des usages quotidiens – ce condiment est très prisé en France au Moyen Âge –, les premiers fabricants cherchent tous les moyens d'accélérer sa préparation et multiplient les recettes. On a découvert que les matières vivantes accélèrent l'acétification. Alors, on utilise tout ce qui tombe sous la main et qui ne coûte pas trop cher pour fabriquer le produit à moindre attente. Les historiens citent les sarments de vigne, les

---

1. Sauce à base de poisson et de saumure, proche du nuoc-mâm.
2. Plante méditerranéenne très appréciée pour ses qualités culinaires : les racines remplacent le poivre, les tiges confites sont utilisées en pâtisserie, les feuilles ont goût de céleri et les graines ont un goût piquant et sont utilisées avec des légumes au vinaigre.

ronces, les légumes, jusqu'aux langues des poissons que l'on jette dans le vin !

« Au XIIIe siècle, parmi les gens du petit commerce qui avaient le droit du cri public à Paris, raconte le *Larousse gastronomique* de 1938, quelques-uns promenaient un tonneau dans les rues et annonçaient ainsi leur marchandise aux hôteliers et aux ménagères : "Vinaigres bons et biaux ! Vinaigre de moutarde i ail." »

De ce besoin croissant naît une véritable corporation, celle des vinaigriers, avec pignon sur rue et charte créée en 1394. À Paris, elle portait les titres de « maîtres vinaigriers, moutardiers, sauciers, distillateurs en eau-de-vie, buvetiers de la ville, faubourgs, banlieue, prévôté et vicomté de Paris ». Elle avait le monopole de la fabrication et de la commercialisation des vinaigres, verjus (suc acide du raisin cueilli vert) et moutardes (mélange de graines de moutarde broyées et de vinaigre). Elle défendait, bec et ongles, ses prérogatives pour éviter toute concurrence, en particulier face à la corporation des maîtres tonneliers. Ces derniers avaient ainsi interdiction « d'acheter des futailles où il y aurait des lies et des baissières », car avec ces lies ils auraient pu faire du vinaigre, et empiéter gravement sur le domaine des vinaigriers-sauciers.

Saint Vincent de Saragosse

Patron des vignerons, des vinaigriers et des taverniers, saint Vincent de Saragosse est né à Huesca (Espagne). Entré dans les ordres, il étudie auprès de Valere, l'évêque de la ville, dont il devient rapidement le diacre.

Victime des persécutions romaines sous le règne de l'empereur Dioclétien, il fut emmené avec son « maître » à Valence (Espagne) où il subit les pires tortures.

L'histoire rapporte qu'il fit preuve d'un courage exemplaire dans l'épreuve, chantant et plaisantant face aux humiliations et aux supplices qu'on lui infligeait. Tant et si bien que saint Augustin glorifiera sa mémoire en notant : « À travers sa ténacité, on discerne la puissance de Dieu. »

Joie et puissance de foi renvoient naturellement au vin et au vinaigre, la douceur du premier triomphant jusque dans l'amertume du second en une belle métaphore qui explique pourquoi saint Vincent est devenu le patron des vignerons et des vinaigriers. Son culte est célébré dans toute l'Europe.

On le fête le 22 janvier.

À noter que l'église Saint-Germain-des-Prés à Paris lui fut initialement dédiée.

« En 1567, poursuit le *Larousse gastronomique*, un édit de Charles X ayant accordé aux bourgeois de Paris le privilège de vendre au détail, et à pot le vinaigre fabriqué avec le vin de leur cru, c'était surtout celui-là que les jeunes garçons, coiffés du bonnet rouge, le tablier relevé et drapé sur la hanche, et la chopine en main, brouettaient de quartier en quartier, criant à toutes les portes : "Marchand de vinaigre ! Du bon vinaigre." »

En 1658, quand leurs statuts furent renouvelés, « on comptait à Paris deux cents maîtres vinaigriers environ, dont chacun employait en moyenne trois garçons. En général, deux de ces garçons travaillaient dans la maison, tandis que le troisième parcourait les rues, pour le compte de son maître, avec une brouette chargée de fioles de vinaigre et de petits boisseaux en bois remplis de moutarde, et criant à tue-tête ses deux marchandises », raconte un article paru en 1867. Côté cuisine, on lui trouve d'autres utilisations, et au XVIIe siècle apparaissent les légumes marinés au vinaigre, dont les emblématiques cornichons et autres conserves vinaigrées de sardines ou de thon.

Le XVIIIe siècle est considéré comme l'âge d'or du vinaigre en France, et tout particulièrement dans la ville d'Orléans. Liée, dit-on, aux vins qui remontaient la Loire et tournaient aigres avant d'atteindre la capitale, l'histoire du vinaigre d'Orléans est en fait bien plus ancienne. Elle correspond probablement à l'apparition de la culture de la vigne dans la région, au Ier siècle avant J.-C. En 1919, le vinaigre ne compte plus que dix-sept producteurs dans la région, contre deux à trois cents à la Révolution. Mais il devient une véritable industrie, avec plus de trois cents ouvriers. À l'époque, le vinaigre est aromatisé à tout-va : truffe, anis, oseille, mûre, muscat, aux six simples, ciboulette, framboise, etc. À table, c'est un produit de luxe complémentaire du verjus, le jus de raisin vert très acide qui sert à conserver les viandes et à relever les plats. Le grand Taillevent, cuisinier hors pair, les utilise souvent en mélange.

Les meilleurs produits sont destinés à des fins culinaires, les autres, majoritaires, servent à l'élaboration de « vinaigre de toilette » dont il existe une centaine de variantes parfumées. L'on se lave peu, mais l'on se frictionne beaucoup avec ce type de produit « hygiénique et odorant » aux vertus médicinales et désinfectantes. Le sieur Maille est un spécialiste de ces vinaigres d'apothicaires (voir le chapitre « Les vertus du vinaigre »). Si les vinaigres d'asepsie firent sa renommée, raconte-t-on dans cette entreprise, c'est une de ses préparations confidentielles qui lui assura la fortune : il connaissait les capacités conjuguées de l'acidité et des tanins à provoquer la crispation et la constriction des muscles et muqueuses. Une clientèle de jeunes bourgeoises, de filles de grands du royaume lui achetait à prix d'or un vinaigre très particulier. Curieusement, c'est souvent quelque temps avant leur mariage que ces demoiselles venaient s'approvisionner en « vinaigre de virginité ». S'il ne raccommodait pas la chose, du moins temporairement en donnait-il l'illusion.

Parmi les grands vinaigriers, on ne peut passer sous silence Pierre François Pascal Guerlain, parfumeur vinaigrier qui, en 1828, ouvrit sa première boutique à Paris. Sa renommée se développa en 1853 quand il créa pour l'impératrice Eugénie la magistrale « Eau impériale », présentée dans le traditionnel et élégant flacon dit « aux abeilles ». Cette création valut au fondateur de la maison le titre de fournisseur officiel de Sa Majesté.

Le succès qu'elle remporta fit de Guerlain, à la fin du XIXe siècle, le parfumeur attitré de toutes les cours d'Europe.

Un secret enfin révélé

Sur le plan scientifique et technique, personne n'a réussi encore à percer le mystère de la fabrication du vinaigre. Les anecdotes à ce sujet ne manquent pas. « Certains affirment, évoquent les historiens, qu'il pique la langue... à cause des fines aiguilles qui se forment quand il cristallise ! D'autres attribuent à tort sa naissance à la "mère" qui désigne alors à la fois le tonneau du fabricant de vinaigre... et la masse gélatineuse qui flotte dans ce dernier. »

Au XVIIIe siècle, quelques savants se penchent sur la question, avouent que l'alcool est sans doute nécessaire, que la température et l'air doivent contribuer au voile qui se forme, après quelques jours, à la surface du vin. C'est Pasteur, en 1865, qui percera scientifiquement ce secret lors de ses recherches sur les ferments et le rôle des organismes microscopiques.

Le « responsable » de l'acétification est tout simplement une bactérie, *Mycoderma aceti*, un acétobacter d'un millième de millimètre que l'on trouve dans l'air. Cette bactérie fixe l'oxygène de l'air sur l'alcool et le transforme en acide. Au fur et à mesure que la fermentation acétique se poursuit, les bactéries se développent en surface pour former un voile léger blanchâtre, ou gris velouté. Lorsque cette accumulation devient trop importante, ce voile s'enfonce petit à petit, les bactéries meurent et tombent au fond de la cuve, se transformant en une masse gélatineuse, la fameuse « mère du vinaigre ». Il en est ainsi jusqu'à épuisement de l'alcool présent dans le milieu. Même s'il se produit naturellement, le vinaigre est le plus souvent fabriqué à partir d'une culture. Le procédé traditionnel et artisanal, dit « à l'ancienne », subsiste encore de nos jours, mais il est beaucoup plus rare que le procédé industriel.

Les premières réglementations

Il fut une époque où le vinaigre était devenu une marchandise de moindre qualité, d'autant que l'on utilisait, comme à ses débuts, tout et n'importe quoi pour le fabriquer. Au XIXe siècle, l'industrie l'employait en grande quantité, notamment pour produire de la céruse[1] par le procédé hollandais, mais il s'agissait presque exclusivement de vinaigre de bois de meilleur marché. Le vinaigre est aussi employé dans la parfumerie et dans la pharmacie pour dissoudre diverses substances végétales aromatiques ou médicamenteuses. Les vinaigres ainsi chargés de principes particuliers sont appelés, suivant leur destination, « vinaigres de toilette », « vinaigres médicinaux » ou « acétolés ».

Des contenants originaux

Selon sa destination gastronomique ou médicinale, le vinaigre a suscité la création de contenants spécifiques transfigurés par l'imagination des artisans et des artistes. C'est ainsi que, faisant mentir le vers d'Alfred de Musset « Qu'importe le flacon pourvu qu'on ait l'ivresse », sont apparus les huiliers-vinaigriers de table et les « vinaigrettes ».

Les huiliers-vinaigriers. Généralement composés de deux flacons joints ou séparés – l'un étant dédié à l'huile

---

1. Colorant blanc à base de carbonate de plomb, utilisé en peinture. Ce produit est un violent poison dont l'emploi est interdit.

et l'autre au vinaigre – mais toujours réunis sur un support commun, ils s'accommodent des formes et des matériaux les plus divers : vermeil, argent, métal argenté, cristal, faïence ou verre. À l'instar des autres productions des arts de la table, leur aspect décoratif est tout aussi important que leur destination pratique.

Les « vinaigrettes ». Généralement fabriquées à l'aide de métaux précieux travaillés dans des styles éminemment créatifs, les « vinaigrettes » étaient conçues pour contenir un substrat imprégné d'acide acétique qui pouvait ainsi être transporté en tous lieux par les femmes sujettes aux évanouissements et aux malaises – une fois reconnues les vertus stimulantes du vinaigre.

Ces objets tout à la fois pratiques et décoratifs apparurent au cours du XVIIe siècle.

Le XVIIIe siècle vit ainsi fleurir toute une gamme de « vinaigrettes » minutieusement ouvragées, au point de devenir les accessoires incontournables des femmes de la haute société.

Discrètement portées dans un petit sac ou, de façon plus ostensible, au doigt ou au poignet, ces véritables bijoux se déclinaient aussi en modèles ornementaux, disposés à portée de main dans les maisons et les appartements.

À noter que les « vinaigrettes » pouvaient également se présenter sous la forme de petites fioles ouvragées que les femmes portaient en pendentif.

L'engouement pour ce genre d'objets fut tel que la mode s'étendit quelque temps à la gent masculine, donnant lieu à l'élaboration de parfums nouveaux, à base de vinaigre.

À la fin du XIXe siècle, les scientifiques mettent en garde les consommateurs contre les abus des fabricants, d'autant que les produits ne doivent guère être bons pour la santé : « Le vinaigre du commerce est souvent falsifié afin de lui donner plus de force ; mais ces falsifications sont faciles à découvrir. Tout vinaigre falsifié avec un acide minéral est troublé par une solution d'émétique. Si l'acide employé est de l'acide sulfurique, en versant dans le vinaigre un sel de baryte, on obtient un précipité blanc de sulfate de baryte insoluble dans les acides. Si c'est de l'acide nitrique, il suffit de verser dans le vinaigre quelques gouttes d'une dissolution de bleu indigo : celle-ci prend à l'instant une teinte jaune. La falsification par l'acide chlorhydrique se reconnaît à l'aide d'un sel d'argent, lequel fait naître un précipité blanc de chlorure d'argent soluble dans l'ammoniaque. Enfin si le vinaigre a été falsifié avec des matières végétales âcres, comme le fruit du piment et le bois-gentil, on reconnaît la fraude lorsque le vinaigre conserve sa saveur âcre après avoir été saturé par un alcali. » De quoi en avoir froid dans le dos, sans compter qu'il faut disposer d'un véritable laboratoire pour connaître l'origine du vinaigre !

Dans les années 1930, on précise encore « que le vinaigre de glucose conserve toujours un goût de fécule fermentée ; le vinaigre de bois a un goût âcre ; les vinaigres de piquette, de marc ont une odeur caractéristique ; ces divers vinaigres servent surtout à falsifier le vinaigre de vin, l'addition d'acides minéraux étant plus rare aujourd'hui en raison de la facilité à déceler cette fraude ».

En 1875, la loi du 17 juillet instituait un impôt de consommation sur les vinaigres de toutes natures et sur les acides acétiques, et commençait à réglementer la profession : « La fabrication ne peut avoir lieu dans les locaux où se fait le commerce des mêmes produits ou celui d'autres boissons, ni dans ceux où l'on fabrique des eaux-de-vie ou esprits. »

Le 28 juillet 1908, un règlement ministériel classait les vinaigres en deux catégories :

– les vinaigres provenant de la transformation, en acide acétique, de l'alcool contenu dans certaines boissons comme le vin, le cidre ou la bière ;

– les vinaigres provenant de la transformation en acide acétique de l'alcool contenu dans tout liquide alimentaire contenant de l'alcool.

Actuellement en France, l'appellation « vinaigre » est strictement réglementée par le décret n° 88-1207 du 30 décembre 1988 publié au *Journal officiel* du 31 décembre 1988, pris en application de la loi du 1er août 1905 modifiée.

Dictons, proverbes, citations et autres expressions populaires

Le vinaigre a donné lieu à différentes expressions imagées, voire à des métaphores, qui reposent toutes sur le caractère gustatif par essence agressif du vinaigre.

En voici une sélection.

« Si Mathieu pleure au lieu de rire, le vin en vinaigre vire. »

Ce dicton jardinier français signifie qu'un 22 janvier pluvieux (jour de la Saint-Vincent, patron des vignerons et des vinaigriers) est synonyme d'un futur mauvais vin.

« Le bon vin fait le bon vinaigre. »

Ce proverbe français parle de lui-même, démontrant à la manière d'une lapalissade que ce qui est bien conçu, bien élaboré et bien créé ne peut générer que du bon et du bien.

« Le vin doux fait le plus âpre vinaigre. »

Ce proverbe italien invite chacun à se méfier des apparences, souvent trompeuses.

« Il ne faut pas rincer la coupe de l'amitié avec du vinaigre. »

Ce proverbe arabe souligne de façon joliment imagée que le beau sentiment qu'est l'amitié ne saurait souffrir la moindre ombre.

« La vérité est aux oreilles ce que la fumée est aux yeux et le vinaigre aux dents. »

Ce proverbe allemand démontre très clairement le caractère agressif de la crue vérité.

« Le vinaigre trop acide ronge le vase qui le contient. »

Ce proverbe turc induit que, à l'instar de l'action corrodante du vinaigre, capable de détruire à terme jusqu'au pot qui le contient, toute personne animée de sentiments mauvais est amenée, tôt ou tard, à se détruire elle-même.

« On ne prend pas les mouches avec du vinaigre. »

En d'autres termes, précaution, douceur et diplomatie valent mieux dans les relations humaines que la manière forte, directe et pour tout dire violente.

Faire vinaigre : cette expression ancienne, quelque peu tombée en désuétude, signifie « accélérer la cadence ».

Pisse-vinaigre : désigne une personne de mauvaise compagnie en raison de son manque d'enthousiasme, de son absence d'humour et du caractère ennuyeux, sinon franchement désagréable, de sa personnalité.

Tourner au vinaigre : se dit d'un rapport, d'une situation ou d'une affaire qui prend une mauvaise tournure.

« Il ne faut pas mettre de vinaigre dans ses écrits, il faut y mettre du sel. »

Cette citation de Montesquieu suggère que l'élévation d'esprit ne peut s'exprimer qu'à travers un style en parfaite adéquation avec la finesse, l'élégance et la hauteur des idées.

« L'esprit est à peu près, à l'intelligence vraie, ce qu'est le vinaigre au vin solide et de bon cru : breuvage des cerveaux stériles et des estomacs maladifs. »

Avec sa justesse de ton habituelle, Jules Renard offre ici une belle expression imagée en tout point comparable à la remarque de Montesquieu précédemment citée.

« Le mariage vient de l'amour comme le vinaigre du vin. »

Avec un réalisme assez pessimiste, Lord Byron ne retient de la métaphore du vinaigre que son aspect le plus négatif.

La fabrication du vinaigre

Le vinaigre de vin résulte de la transformation de l'alcool du vin en acide acétique. À cette fin, on emploie un vin de bonne qualité et d'un degré alcoolique pas trop élevé. Présentes naturellement sur les fruits, dans l'air, dans le vin, les bactéries acétiques appartiennent, en majorité, au genre *Acetobacter*. Toutes ces bactéries s'attaquent à l'alcool éthylique.

Outre la qualité du vin et des bactéries utilisées, d'autres facteurs concourent à assurer le bon déroulement de l'acétification : une bonne oxygénation et une température assez élevée (à 25 °C, l'acétification se fait près de dix fois plus vite qu'à 10 °C).

Les bactéries acétiques, qui provoquent cette réaction, s'agglomèrent à la surface du liquide en un fin film translucide qui s'épaissit pour former une masse visqueuse ou « mère du vinaigre » qui tombe au fond du conteneur. Dans de bonnes conditions, il faut compter une quinzaine de jours pour arriver à la fin du processus. Le vinaigre est ensuite clarifié avant son embouteillage.

Les autres techniques

Procédé traditionnel dit « procédé d'Orléans »

Le vinaigre est produit dans des fûts de chêne où le vin est ajouté à la mère du vinaigre qui reste dans le fût pendant une ou deux générations. Le vin peut fermenter plusieurs semaines, parfois jusqu'à six mois, après quoi le vinaigre obtenu est prélevé, filtré et mis en bouteilles. Il s'agit d'un procédé continu : on prélève le vinaigre par le bas et on ajoute du vin par le haut. Non pasteurisé, ce vinaigre conserve tout son arôme et sa couleur. Il arrive qu'après un certain temps il se reforme de la mère du vinaigre dans la bouteille ; on peut l'y laisser, la filtrer ou même l'utiliser pour fabriquer son propre vinaigre.

Procédés industriels

Le liquide est mis dans de vastes cuves métalliques chauffées, munies de générateurs et de pompes. Il est brassé avec des copeaux de hêtre trempés de vinaigre. Cette méthode rapide, dite « allemande », permet d'obtenir en 24 heures un vinaigre sans bouquet.

Un autre procédé accélère la transformation de l'alcool en acide acétique : le vin ou l'alcool est brassé continuellement en même temps que de l'air est insufflé ; le vinaigre s'obtient au bout de trois à cinq jours.

Le liquide est ensuite pasteurisé et parfois distillé. Il en résulte un vinaigre clarifié qui a perdu une bonne partie de son bouquet et qui ne contient pas de mère du vinaigre.

Les différentes variétés de vinaigre

Vinaigre de vin

Le vinaigre de vin peut être composé à partir de vin rouge, blanc ou rosé. Le meilleur vinaigre de vin est dit « à l'ancienne », préparé selon la méthode d'Orléans à partir de vins spécialement produits, sélectionnés et longuement mûris. Il est beaucoup plus cher que les autres, mais sa saveur est incomparable.

« Tous les vins, disait Pasteur, peuvent faire d'excellents vinaigres pourvu qu'ils soient bons au départ, car dans le produit final on retrouve toujours la saveur et la force du vin dont il est issu. »

Contrairement à une idée reçue, le degré indiqué sur une bouteille de vinaigre n'est pas son degré d'alcool, mais le taux d'acidité du vinaigre en question. Il est obligatoirement d'au moins 6 %, qui s'inscriront 6° sur l'étiquette.

Les meilleurs vinaigres sont élaborés avec des vins de Loire, du Bordelais, de Bourgogne. Ceux-ci sont alors choisis en fonction de leur cépage, de la finesse et de la subtilité de leur bouquet. Comme pour le vin, les meilleurs vinaigriers opèrent sa transformation en tonneau et assurent un vieillissement de plusieurs mois (six mois environ, voire un an pour certaines marques) en cave dans des foudres ou demi-muids pour l'améliorer.

Une marque comme Beaufor propose un vinaigre de vin de cépage cabernet qui garantit à ce produit des caractéristiques olfactives et gustatives spécifiques. On y trouve des notes de fruits rouges (cassis, cerise, framboise) ou même des notes de fruits exotiques (kiwi), qui lui donnent un caractère très personnel.

La maison Clovis à Reims utilise une méthode particulière liée à l'élaboration du champagne assemblé avec différents cépages (chardonnay, pinot noir et pinot meunier), de différents crus et de différentes années. « Mis en bouteilles, expliquent les fabricants, le vin vieillit lentement en cave, la seconde fermentation qui s'y produit permet la prise de mousse. Avant l'expédition, les bouteilles sont dégorgées pour éliminer le dépôt et permettre le dosage. Quelques centilitres de vin s'échappent alors. Ce sont ces quelques centilitres de dégorgement échappés de chaque bouteille qui sont utilisés pour fabriquer le vinaigre de Reims. Le vin ainsi collecté passe par les cuves où l'aération permet au *Mycoderma aceti* de transformer le vin en vinaigre. Une fois filtré, le vinaigre de Reims vieillira encore douze mois dans des fûts de chêne pour atteindre sa plénitude et sa maturité. Quatre ans se seront écoulés entre la vendange et la mise sur le marché de notre vinaigre (trois ans dans les maisons de champagne et un an dans nos fûts). »

Vinaigre d'alcool

Parfaitement incolore (à moins qu'on ne l'ait teinté avec du caramel), il est surtout fabriqué à partir d'alcool de betterave. Il possède une bonne acidité, mais reste dépourvu de goût et d'arôme. Il peut être utilisé comme élément de base pour un vinaigre parfumé aux aromates et sert essentiellement à la conservation des aliments et des condiments tels que les cornichons, les oignons ou les fameux pickles.

Vinaigre de xérès

Originaire d'Andalousie, dans la province de Cadix, plus précisément à Jerez de la Frontera (tout près de Séville), le vinaigre de xérès est élaboré à partir de xérès (ou *sherry*, à l'anglaise) issu du vignoble local.

La méthode de production (trois millions de litres par an) est toujours axée sur le principe du mutage. On mélange peu à peu du vinaigre jeune à un vinaigre plus âgé dans des tonneaux successifs. C'est la durée de vieillissement de ce vinaigre qui lui assurera une qualité supérieure, voire exceptionnelle. Le vinaigre de xérès basique n'a que six mois de vieillissement en fûts de chêne. L'appellation *reserva* demande un séjour de deux ans, soit quatre fois plus de temps, à l'abri de la lumière dans des barriques ayant jadis servi à élever le porto ou à conserver les meilleurs *olorosos*. Certains vont patiemment vieillir pendant des dizaines d'années avant d'être mis sur le marché. L'évaporation, nommée la « part des anges », va faire en sorte que ce vinaigre d'exception devienne un produit rare.

Cette longue gestation lui confère une robe foncée et lui offre un goût ample mais rond tout en gardant une petite note acide qui le caractérise. Son côté robuste mais très sec, son arôme d'amande amère font de ce vinaigre un must pour la cuisine.

Vinaigre de xérès aromatisé à l'écorce d'orange

Il s'agit d'un vinaigre de xérès aromatisé avec du zeste d'oranges macérées. Les spécialistes lui donnent des notes zestées, acidulées, fraîches et le conseillent avec le canard et les salades de fruits exotiques.

Vinaigre de banyuls

C'est dans le même esprit que son confrère hispanique que s'est développé le vinaigre de banyuls, qui demande une longue gestation de plusieurs années. Après le procédé traditionnel de vinification, le liquide reste entreposé en barriques en plein air, exposées aux rayons du soleil et aux variations climatiques. Il faut entre huit mois et un an pour que l'alcool se transforme entièrement en acide acétique grâce aux bactéries qui se déposent naturellement à la surface du liquide. Puis, transvasé dans des fûts de chêne, le vinaigre est entreposé en cave pour développer tous ses arômes. Sa robe rouge orangé, son nez de fruits rouges (framboise, cassis) et de noisette, sa belle puissance aromatique, son élégance font de ce vinaigre un excellent produit de plus en plus recherché, d'autant qu'il est développé sous forme artisanale.

Vinaigre balsamique

Vinaigre d'appellation d'origine contrôlée, il est originaire de Modène, dans le nord de l'Italie (voir encadré p. 52). Depuis plusieurs siècles, il est fabriqué à partir de moût de raisins sucrés du cépage ugni blanc trebbiano, cultivé sur les collines bordant Castelvetro, vendangé tardivement, ce qui lui offre plus de sucre et une saveur incomparable. Après la vendange, on attend la fermentation du moût que l'on fait cuire et réduire des trois quarts environ. Bien concentré, ce jus épais, caramélisé, est mis en fûts de chêne jusqu'à sa mutation naturelle et spontanée en vinaigre. Il est ensuite transféré dans des fûts de bois différents (châtaignier, cerisier, frêne, mûrier) pour vieillir pendant plusieurs années, au minimum quatre, jusqu'à dix, avant d'être embouteillé.

« En 1046, affirment les historiens, Fra Donizone relate que le roi Henri, venu en Italie pour se faire sacrer empereur, demande au marquis Bonifacio où il peut goûter ce vinaigre merveilleux que l'on fabrique à Canossa. Plus tard, Gioacchino Rossini affirme qu'une seule petite goutte de vinaigre de Modène lui a redonné la santé et la paix de l'esprit. Quant à Eugenio Montale, il écrit à Delphinus de venir le voir sans oublier d'apporter une bouteille de ce sirop noir et épais comme une liqueur fine d'après repas. »

Ce précieux nectar présenté dans des bouteilles délicatement modelées était un cadeau tradition-nel qu'on offrait accompagné de délicats messages d'amitié.

Brun foncé, d'un parfum intense, rond, sucré et parfumé, le vinaigre balsamique possède une saveur douce et aigre à la fois, bien équilibrée.

Vinaigre de cidre

C'est un vinaigre fin, doux, aux arômes fruités. Sa belle robe ambrée rappelle celle du jus de pomme brut et naturel qui lui sert de base. Mûri en fûts de chêne pendant près d'un an et parfois plus, selon le producteur, le vinaigre de cidre de type artisanal est délicieusement rond et nerveux. Il est magnifique en cuisine, et de tous les vinaigres c'est à lui que l'on prête le plus de vertus. On ne le consomme plus seu-lement pour sa saveur, mais de plus en plus pour ses qualités médicinales : une véritable potion magique !

Vinaigre de malt

Mal connu, ce vinaigre est élaboré à partir de jus d'orge germée (l'amidon dans le grain fournit le sucre). La bière, brassée avec le sucre, tourne alors au vinaigre, lequel est mis à vieillir. Transparent à l'origine, il est souvent coloré et parfumé avec un peu de caramel, pour qu'il arbore une belle robe ambrée et un goût suave et délicieux. Il titre de 4 % à 8 % d'acide acétique.

Vinaigre de riz

D'origine asiatique, ce vinaigre peu acide (4°) est fabriqué à partir de vin aigre de riz fermenté. Suivant les pays, il peut se présenter sous différentes formes : de couleur rouge, piquant, puissant et aigre en Chine, souvent blanc, moelleux, doux et parfumé au Japon, il peut être aussi aromatisé et parfumé au gingembre, au piment ou encore au sésame, ou utilisé pur.

Vinaigre de jus de canne à sucre

Fabriqué aux Antilles à partir du jus de canne à sucre, il offre des sensations intéressantes au palais, telles douceur et acidité.

Vinaigre Melfor

Créée en 1922, par Fernand Higy, la société Higy est implantée à Mulhouse, en Alsace. Sur le marché du vinaigre, elle a développé un produit unique, particulièrement apprécié dans l'est de la France : le Melfor, condiment à base de vinaigre d'alcool, de miel et d'infusion de plantes. Sa réussite tient surtout au goût aigre-doux bien équilibré du produit. Plus de huit foyers sur dix en consomment régulièrement dans le Haut-Rhin, le Bas-Rhin et la Moselle.

Vinaigre de thé

Ce vinaigre a pour particularité d'être sans alcool, mais il s'utilise comme un vinaigre classique. C'est en Mongolie que les premières fermentations du thé ont été réalisées, ce qui donne une boisson aigre-douce.

Ce vinaigre de thé est devenu un élément essentiel de l'alimentation mongole, essentiellement constituée de viande et de produits laitiers. Il pallie en partie le manque de légumes et de fruits frais.

Vinaigre rosat

C'est le nom que l'on donnait au début du siècle dernier à un vinaigre à base de rose. En voici la recette : faites macérer pendant dix jours 100 g de pétales de roses rouges dans un litre de vinaigre.

Vinaigre de petit-lait

Produit de Suisse élaboré à partir de lait écrémé transformé en liqueur pour pouvoir subir une fermentation acétique, c'est un vinaigre riche en oligo-éléments ainsi qu'en vitamine B.

De couleur jaune ambré, il possède un goût très particulier. Il facilite, dit-on, la digestion ; on le nomme souvent « vinaigre diététique ».

Vinaigre des bleuets

Originaire du Canada, c'est en fait un vinaigre de cidre dans lequel on a fait macérer des myrtilles, ce qui lui vaut sa belle couleur violette.

Les vinaigres de vin aromatisés

Ils sont légion, car chaque marque se fait fort d'en proposer plusieurs dizaines de sortes, la plupart fabriqués à partir de vin et parfumés à l'aide d'aromates ou d'épices variés. On les trouve dans les boutiques, mais la plupart du temps on peut les réaliser soi-même, à partir de vinaigre maison ou de vinaigre de vin ou d'alcool. Il suffit de laisser macérer l'aromate choisi. Cela dit, ne retirons rien aux professionnels qui ont le « coup de main », connaissent le temps nécessaire de macération et les petits « trucs » du métier qui donnent à chaque vinaigre sa personnalité. Nous dressons ici une liste non exhaustive, mais toutefois assez complète des vinaigres parfumés avec des plantes ou des fruits. Si la plupart des grandes marques produisent un certain nombre de vinaigres aromatisés, nous en avons sélectionné quelques-uns parmi les plus originaux. Vous trouverez indiqués entre parenthèses les noms des producteurs.

Vinaigre de vin aux épices

Un mélange de six épices est macéré dans un très bon vinaigre de vin rouge, cela donne ce vinaigre particulièrement intéressant au goût (Delouis).

Vinaigre de vin rouge aux trois algues

Ce vinaigre de vin rouge marié aux algues a été conçu pour l'accompagnement des huîtres à la place de la vinaigrette à l'échalote. En effet, l'apport iodé des algues exalte le goût iodé de l'huître et le mariage s'avère excellent (Christine Le Tennier).

Vinaigre de Reims aromatisé à la truffe noire

Le vinaigre de Reims 7° est ici parfumé avec un arôme naturel. Les notes terreuses (de champignons) et boisées relèvent les salades de magrets, les compositions à base de foie gras.

Vinaigre aux herbes de Provence

Sur la base d'un vinaigre de vin blanc, un bouquet de laurier, de thym, de sauge et de romarin diffuse naturellement ses senteurs provençales de façon éclatante.

Vinaigres aromatisés aux fruits

Cassis. Son acidité et sa puissance sont très appréciées avec le gibier et les magrets de canard, et toutes les préparations avec du gibier. Quelques gouttes dans une salade de fruits en exalteront la saveur.

Cerise. Pour déglacer les préparations à base de canard. À ajouter dans les marinades. Excellent pour la conservation des cerises au vinaigre.

Citron. Il s'agit de pur jus de citron (il peut même y avoir de la pulpe) ajouté à un vinaigre d'alcool ou un vinaigre de vin. On en trouve aussi au citron vert.

Figue. Pour les salades mixtes avec des fruits, un arôme de figue fraîche donne une note d'originalité. Quelques gouttes sur les fraises feront ressortir leur parfum.

Fraise. Conseillé dans certaines vinaigrettes, pour les salades de betteraves rouges, par exemple.

Framboise. Légèrement sucré et très parfumé, c'est le vinaigre le plus utilisé en cuisine (salade, déglaçage). Il entre dans de multiples recettes créées par les grands chefs.

Framboises fraîches. La maison Delouis propose depuis plus de vingt-cinq ans un vinaigre fabriqué uniquement à partir de framboises du Limousin macérées dans du vinaigre de vin blanc à fort degré (d'où la présence de pulpe de framboises), offrant un merveilleux parfum de fruit frais.

Fruit de la passion. Très original, ce vinaigre à arômes fruités apportera une note exotique aux salades et aux salades de fruits.

Groseille. On l'utilise dans les marinades de gibiers ou pour parfumer les œufs.

Myrtille. S'utilise en petite quantité pour les salades, et dans les marinades. Parfume les salades de fruits.

Noisette. Donne un arôme subtil aux crudités.

Noix. Apporte un goût de noix aux vinaigrettes faites avec une huile classique. Ce vinaigre convient aux salades d'endives, aux préparations à base de fromage et plus particulièrement à base de roque-fort.

Noix de coco. Ses notes lactées-sucrées parfument les salades exotiques, les salades de fruits et les currys.

Pêche. Délicieux dans des salades composées avec des pointes d'asperges, du maïs, etc., et quelques fruits.

Quatre fruits rouges. Ce vinaigre, très parfumé grâce aux arômes de framboise, de cassis, de groseille et de fraise, est à utiliser avec parcimonie.

Vinaigres de fruits

Dans certains pays chauds producteurs de fruits, on développe de plus en plus la fabrication de vinaigre à partir des productions locales. C'est le cas en particulier au Burkina Faso et cela commence à se mettre en place en Côte d'Ivoire. Les fruits les plus appropriés à la préparation du vinaigre sont essentiellement l'ananas, la banane poyo, le fruit de la passion, l'orange, le corossol, la papaye et la mangue.

Les jus recueillis sont lentement chauffés, filtrés et soumis aux fermentations alcoolique et acétique.

Le liquide fermentescible est placé dans des récipients appropriés (fût, dame-jeanne, etc.), puis laissé à l'air. Il s'ensuit une oxydation de l'éthanol du vin de base qui permet d'obtenir en cinq semaines du vinaigre d'au moins 7°. Celui-ci sera ensuite conditionné dans des bouteilles en plastique après avoir été de nouveau filtré.

Vinaigre de mangue. Nouveau sur le marché, le vinaigre de mangue est originaire du Burkina Faso en Afrique de l'Ouest. Ce vinaigre de qualité est issu de mangues arrivées au faîte de leur maturité, qui sont cueillies par les paysans burkinabés et apprêtées avant d'être transformées au moyen d'une technique novatrice permettant de conserver tous les arômes de ce divin fruit. Son parfum délicat et aromatique s'harmonise avec la finesse de son goût.

Vinaigre de palme. Le palmier à sucre (*Borassus flabellifer*) est un arbre typique des plaines cambodgiennes. Son tronc tout droit, haut de 25 mètres en moyenne, est couronné de grandes feuilles en éventail. Le jus de palme, qui coule des bourgeons de fleurs, est récolté manuellement tous les jours par des paysans qui doivent pour ce faire grimper au sommet des arbres. Le jus de palme est ensuite transformé en vinaigre dont les arômes fruités apportent aux plats une note exotique et originale.

Les vertus du vinaigre

On ne prête qu'aux riches... Justement, notre ami le vinaigre est paré de toutes les vertus et ce depuis fort longtemps. Nous avons vu sur le plan historique combien les Romains l'utilisaient comme antiseptique, en particulier dans l'eau de consommation courante. Grâce à sa richesse, le vinaigre est réputé « améliorer la vue, l'ouïe, les capacités de réflexion et la vivacité mentale », car ce serait un immunostimulant. Si cela n'est pas encore précisément prouvé, ses propriétés antiseptiques, astringentes et rafraîchissantes sont bien établies par l'usage depuis des siècles. On lui reconnaît, par ailleurs, d'autres usages médicaux ou paramédicaux comme l'aide à la digestion. On dit qu'il peut soigner l'arthrite et l'ostéoporose et favoriser la perte de poids. Qu'en est-il en réalité ?

L'histoire reconnaît que le vinaigre aurait eu son utilité pour protéger un certain nombre de personnes de la peste, en particulier les soignants. On cite le sieur Maille (à l'origine de la célèbre marque) qui, au début du XVIIIe siècle, fournit son vinaigre antiseptique à Marseille et protégea en partie la population. Il ne faisait, en cela, que poursuivre une vieille tradition symbolisée par le « vinaigre des quatre voleurs » qui serait apparu au XIVe siècle.

Cette préparation antiseptique à base de vinaigre, d'absinthe et de diverses herbes (voir encadré page suivante) aurait été inventée, selon les versions, par des galériens marseillais qui voulaient éviter le fléau, ou encore par des voleurs surpris par les autorités à piller des maisons contaminées de pestiférés. Intrigué par leur immunité, le juge leur aurait fait avouer leur secret moyennant une certaine indulgence. Indulgence toute relative d'ailleurs, car on dit qu'ils furent pendus plutôt que brûlés vifs.

Sûr de sa science et des qualités de ses produits, notre fabricant du XVIIIe n'hésitait pas à faire connaître ses produits par voie d'affiches et d'annonces. Voici ce qu'il publiait le 9 avril 1766 : « Plus un remède a de succès, plus on veut l'imiter. Le Vinaigre Romain du Sieur Maille, excellent pour la propreté, la conservation, la santé des Dents, des Gencives et de la Bouche, continue de donner de très bons résultats... Le Vinaigre Romain dont le Sieur Maille a seul le secret est pénétrant, alcoolisé, cicatrisant... Les imitations se multiplient avec le risque de ne pas donner les résultats qu'elles promettent. Pour ne pas courir le risque d'être trompé, il faut s'adresser au Sieur Maille, Vinaigrier du Roi, rue Saint-André-des-Arts à Paris... »

Le vinaigre des quatre voleurs

Selon le *Dictionnaire français illustré et encyclopédie universelle*, placé sous la direction de B. Dupiney de Vorepierre, daté de 1864 : « Le Vinaigre des quatre voleurs s'obtient en faisant macérer dans 4 litres de vinaigre très fort : sommités sèches de grande absinthe, de petite absinthe, de lavande, de menthe, de romarin, de rue et de sauge, 32 g de chaque ; acore vrai[1], cannelle fine, girofle, noix muscade, gousses d'ail, 4 g chaque. Après 15 jours de macération, on passe à travers un linge en exprimant fortement, et l'on ajoute 8 g de camphre dissous dans 31 g d'acide acétique concentré. Enfin au bout de deux jours, on filtre au papier gris. » Selon les auteurs de l'ouvrage, « on lui attribuait jadis une vertu désinfectante [que ce vinaigre] ne possède en aucune façon. Son meilleur usage est pour la toilette ; mais on s'en sert aussi quelquefois pour ranimer les personnes tombées en syncope. »

---

1. Plante aquatique appelée aussi « roseau aromatique », à parfum de mandarine et à saveur amère et poivrée.

Une autre recette, plus récente et plus simple, propose les quantités suivantes : 20 g de romarin, 20 g de lavande, 20 g de sauge, 30 g de cannelle, 20 g de thym, 20 g de menthe, 30 g de girofle, 20 g d'absinthe, 30 g d'ail, 5 g de camphre. On laisse macérer au moins quinze jours dans 3 litres de vinaigre de cidre. Ensuite, on filtre et l'on conserve ce vinaigre à l'abri de la lumière.

C'est sans doute à lui que pensait Jean Giono dans *Le Hussard sur le toit*, à propos du médecin qui frictionne au vinaigre, pour les guérir, les victimes de la grande peste de 1720 du sud de la France. À la mort d'Antoine Maille en 1804, son catalogue compte une cinquantaine de vinaigres que les dames de la cour de Versailles utilisent pour leur bain, leur toilette, leurs soins.

À la fin du XIXe siècle, où l'on n'employait en médecine que le vinaigre « français » (vinaigre de vin) et le vinaigre « anglais » (vinaigre de malt), le produit fait bonne figure au sein des traités médicaux. On lui reconnaît des qualités réfrigérantes (il abaisse la température), antiseptiques et astringentes. Il est également considéré comme diurétique, stimulant, résolutif (il peut calmer une inflammation ou résorber un abcès, un engorgement, une tumeur). Enfin, on le considère comme un hémostatique (il favorise la coagulation du sang).

Vers 1910, le docteur A. Narodetki de la faculté de médecine de Paris cite dans son ouvrage *La Médecine végétale illustrée – Traité pratique de médecine, d'hygiène et de pharmacie*, parmi les médicaments employés en médecine, l'acide acétique cristallisable ou esprit de vinaigre : « Il est liquide en été, pendant les chaleurs et en masse cristalline en hiver. Odeur pénétrante. On l'administre en inspiration comme stimulant dans les syncopes, défaillances, migraines. Il est caustique, vésicant et antiseptique ; il sert à masquer les mauvaises odeurs. » Par ailleurs, selon ce médecin, assez moderne à son époque, le vinaigre de vin est « stimulant, astringent et antiseptique. On l'emploie en lotions (lotions vinaigrées) comme anti-pyrétique[1]. Usage externe. »

Aujourd'hui, il y a encore trop peu d'études scientifiques pour analyser toutes les propriétés du vinaigre. Ce condiment devient médicament sous la pression des traditions populaires soigneusement transmises de génération en génération et entretenues à l'échelle mondiale grâce à Internet. On sait qu'en Chine on l'utilise contre plusieurs types de pneumonies, telle la pneumonie atypique, et qu'au Japon on le reconnaît comme aliment fonctionnel (ou nutraceutique). Selon des chercheurs de ce pays, repris par des passionnés du vinaigre, « il serait riche en xylo-oligosaccharides, substances qui stimuleraient la multiplication des bactéries bifidus dans l'intestin et contribueraient au maintien d'une bonne santé gastro-intestinale ».

Par ailleurs, une étude récente, datant de mars 2002 et portant sur une trentaine de sujets, lui a trouvé une efficacité thérapeutique supérieure à celle de gouttes antibiotiques pour traiter une myringite granulaire (une inflammation du tympan). Les chercheurs ont attribué cette efficacité au pH très bas du vinaigre.

La composition du vinaigre, puisque issu du vin, est une des voies de réflexion. En effet, de plus en plus de chercheurs se penchent sur le « nectar des dieux » pour lui trouver nombre de qualités alimentaires et autres... En effet, le vin contient des macro- et des micronutriments susceptibles de contribuer aux besoins nutritionnels de l'organisme humain : des protéines (1 à 2 g par litre), des acides aminés essentiels (presque tous y sont représentés), des sels minéraux (potassium, calcium, magnésium, sodium et phosphore) et de nombreux oligoéléments (fer, cuivre, zinc, manganèse), sans compter les vitamines B_1, B_2, B_3, B_5, B_6, des polyphénols, etc.

---

1. Médicament contre la fièvre.

On estime généralement que le vin a une action directe sur le cholestérol, limite les facteurs de risque d'artériosclérose, joue un rôle dans la circulation sanguine. Grâce aux polyphénols, on réduit le risque hémorragique, on piège les radicaux libres (formés par le tabagisme, les ultraviolets, la pollution, la pratique excessive d'activité sportive...), etc.

On reconnaît comme autres intérêts du vin des actions bactéricide, antivirale, des effets bénéfiques sur la vésicule biliaire, le pancréas (le vin à faible dose améliore la sensibilité à l'insuline), l'intestin (effet antispasmodique et antidiarrhéique) ; il permet aussi de diminuer la glycémie et de corriger l'hyperinsulinisme. C'est enfin un euphorisant, un anxiolytique et un antidépresseur qui agit sur le système vasculaire cérébral.

Peut-on pour autant en déduire que le vinaigre de vin a gardé tout ou partie de ces nombreuses propriétés ? Probablement, vu son utilisation fréquente pour soigner de nombreux maux. Il en est de même pour le vinaigre de cidre qui, lui, bénéficie des bienfaits de la pomme, même si certains nutritionnistes jouent les sceptiques, ne lui trouvant que beaucoup d'eau (environ 95 %), ce qui est normal, mais ni protéines, ni matières grasses, ni vitamines, très peu de glucides et très peu de calories (tout juste 2 calories pour 15 ml, soit une cuillerée à soupe). Toutefois, le vinaigre de cidre contient de la vitamine B_6, du calcium et du phosphore, un peu de fer, une bonne dose de potassium et des traces de sodium.

Reste qu'à partir de ces données, on sait qu'il peut devenir un fortifiant du système nerveux (grâce au phosphore) et par conséquent stimuler le travail cérébral et prédisposer au sommeil.

Le potassium et le peu de sodium contenus, renforcés par sa teneur en eau, lui confèrent ses qualités diurétiques. Ajoutons que le potassium permet également de lutter contre l'hypertension. Il est considéré comme efficace pour stimuler la digestion.

Certains le conseillent également dans les troubles arthritiques, lui trouvant une action dissolvante sur les dépôts calcaires affectant les articulations et certains organes. On pourrait également l'employer dans les cas d'arthrose, de calculs biliaires et rénaux.

On vient de découvrir les vertus du vinaigre employé seul. Lorsque celui-ci est complété de plantes dont l'action médicinale est reconnue, ces vertus peuvent être multipliées. Ainsi, la menthe offre des vertus calmantes, antispasmodiques, digestives. La sauge est reconnue pour ses propriétés digestives, antispasmodiques, stimulantes. Le thym et le laurier sont également excellents pour faciliter la digestion. De plus, le thym est riche en phénols antioxydants. On peut ainsi développer toutes les possibilités offertes par tous les vinaigres composés avec de l'ail, du piment, des fruits, chacun offrant une donnée supplémentaire.

Les précautions

L'acidité du vinaigre est la première contre-indication dont il faut se préoccuper. Il est évident que ceux qui souffrent d'un ulcère à l'estomac doivent se méfier des risques de brûlures et ne pas aggraver leur cas. Par ailleurs, il semblerait, d'après certains spécialistes, que « l'usage à très long terme et à hautes doses (250 ml par jour [soit tout de même un quart de litre !]) de vinaigre de cidre aurait entraîné de l'hypokaliémie (diminution du taux de potassium sanguin au-dessous des limites normales), ainsi que de l'ostéoporose chez un sujet ».

Il est également déconseillé d'utiliser du vinaigre « pour blanchir les dents car l'acidité qu'il provoque dans la bouche crée un terrain favorable pour les bactéries qui forment la plaque dentaire ». Pour éviter certains effets secondaires, il est toujours possible de prendre certains compléments nutritionnels contenant de la pectine, de la pulpe de pomme et de l'extrait sec de vinaigre à acidité réduite, ou encore du vinaigre de cidre sous forme de comprimés.

Quelques « remèdes maison »

Nous publions ci-après bon nombre de « recettes » qui sont couramment utilisées en France et à travers le monde, en particulier au Québec où le vinaigre de cidre connaît une certaine faveur. Bien qu'elles soient connues pour leur efficacité, elles ne peuvent en aucun cas remplacer la médecine officielle et les résultats qu'offrent certains médicaments.

Chacun devra donc prendre connaissance des données existantes et les appliquer avec les précautions d'usage, en fonction des cas présentés. Ces réserves étant posées, cette « médecine naturelle » a prouvé de nombreuses fois qu'elle fonctionnait bien.

Il est recommandé pour le vinaigre de cidre de choisir un vinaigre élaboré de façon artisanale et qui ne contienne pas plus de 4,5 % d'acide acétique. Il ne doit pas être filtré, ni pasteurisé et doit arborer une teinte doré clair et limpide.

Arthrite

Très controversée, la théorie qui affirme que le vinaigre de cidre permettrait de soulager l'arthrite et l'ostéoporose n'a encore fait l'objet d'aucune étude scientifique l'infirmant ou la confirmant. Pour certains, il semble qu'il n'y ait pas non plus de base théorique pour la justifier.

Pourtant, la rumeur continue de courir. En attendant que des scientifiques aillent un peu plus loin, nous vous communiquons ce qui est dit en ce domaine, avec toutes les réserves qui s'imposent.

« Le vinaigre de cidre peut jouer un rôle important dans le soulagement de la douleur causée par l'arthrite, car il favorise un ramollissement et une élimination du mauvais calcaire accumulé aux articulations. Il peut aider aussi à ralentir la progression de cette maladie. On le recommande pour les bursites, les tendinites, l'arthrose, l'épine calcaire au talon, les pierres aux reins ou au foie.

« À chaque repas et au coucher, boire un demi-verre d'eau additionné de 1 à 2 cuillerées à soupe de vinaigre de cidre pur. Pour obtenir un soulagement plus rapide, appliquer de l'eau chaude et du sel sur la région atteinte et frictionner par la suite avec du vinaigre de cidre. »

Brûlures externes

Si l'ingestion des vinaigres de vin et de cidre reste encore aléatoire, car tout dépend des sujets, l'utilisation de ce condiment sur le plan externe est relativement efficace et donne bien souvent d'étonnants résultats.

Pour les brûlures légères, une application d'une compresse de vinaigre dilué, tapotée doucement sur la partie concernée, peut soulager la douleur.

Céphalées

Contre la migraine et les maux de tête, les problèmes de sinus et les rhumes, une inhalation d'eau vinaigrée peut bien dégager l'appareil respiratoire et soulager la tête – 2 à 3 cuillerées à soupe de vinaigre de cidre pour un grand bol d'eau bouillante. Il faut se couvrir la tête au-dessus du bol et respirer les vapeurs.

Coup de soleil

Pour soigner les rougeurs ou brûlures légères dues au soleil, l'application d'une compresse de vinaigre de cidre dilué avec de l'eau devrait soulager. On peut utiliser la même méthode pour favoriser la cicatrisation des plaies et réduire les gerçures.

Déstressant

Pour favoriser la détente et le sommeil, il faut ajouter une demi-tasse à une tasse de vinaigre dans l'eau d'un bain où on se plongera 15 à 20 minutes. Le « vinaigre de beauté » aide à traiter les troubles de la peau car son pH est pratiquement le même que celui d'une peau en bonne santé.

Digestion

On peut ingérer 2 cuillerées à soupe de vinaigre de cidre dans un verre d'eau, avec un soupçon de miel pour en atténuer l'acidité. Il est conseillé de ne pas avaler cette préparation l'estomac vide, mais plutôt au cours du repas. Un comprimé de vinaigre déshydraté, pris toujours au moment du repas, pourrait avoir le même effet.

Douleurs musculaires

Utilisé en application externe, le vinaigre réduit les douleurs musculaires, les inflammations, les entorses, l'engorgement musculaire et les crampes. Il suffit de réchauffer la région douloureuse avec un linge trempé dans de l'eau chaude additionnée de sel et de frotter les muscles avec du vinaigre de cidre.

Érythème fessier

Un bain de siège avec de l'eau tiède dans lequel on aura incorporé quelques cuillerées à soupe ou une demi-tasse de vinaigre, suivant l'importance de la cuvette, permettront de nettoyer les petites fesses irritées et de calmer les démangeaisons.

Gonflement des extrémités

Lorsque les pieds ou les mains sont gonflés, il faut les baigner, matin et soir, dans un mélange de trois verres d'eau et un demi-verre de vinaigre.

Hémorroïdes

Une compresse ou un tampon imbibé de vinaigre appliqué sur la partie affectée devrait rapidement soulager le patient. À renouveler aussi souvent que nécessaire.

Mal d'oreilles

Le vinaigre est considéré comme un excellent nettoyant pour le conduit auditif. Quelques gouttes d'eau et de vinaigre que l'on laisse trente secondes suffisent pour réduire le cérumen. Un petit Coton-Tige pour assécher le conduit, et le tour est joué. À titre préventif, pour éviter les otites dites « de piscine », voici une recette maison qui se révèle assez efficace d'après ses adeptes :

« Mélanger une partie de vinaigre avec une partie d'alcool (éthanol pur ou alcool à friction). Verser l'équivalent d'un bouchon dans l'oreille de l'enfant en laissant pénétrer, puis s'écouler à l'extérieur. Faire l'opération avant la baignade et à la fin de la journée lorsque l'oreille de l'enfant ne sera plus exposée à l'eau (douche par exemple). Bien assécher l'oreille après avec un Coton-Tige. »

Maux de gorge

Ils se traitent avec des gargarismes, en diluant 1 à 2 cuillerées à soupe ou à café de vinaigre (selon ce qu'on peut tolérer comme goût) dans une tasse d'eau tiède. On peut les répéter trois ou quatre fois par jour.

Pellicules

Au cours du shampoing, et après un premier rinçage, on masse le cuir chevelu avec l'équivalent de 2 ou 3 cuillerées à soupe de vinaigre.

Pied d'athlète et autres prurits

On utilisera une compresse ou de l'ouate imbibée de vinaigre pour traiter les parties affectées.

Pieds : démangeaisons et champignons

Pour réduire ou supprimer les démangeaisons, les champignons, voire les cors aux pieds, il faut d'abord prendre un bain de pieds avec de l'eau tiède et un peu de sel. Puis, après les avoir séchés, il faut masser ou appliquer le vinaigre de cidre pur sur les parties à traiter.

Régime amaigrissant

Là encore, les théories s'affrontent entre les tenants d'une médecine « naturelle » et les médecins qui s'inquiètent de certaines dérives. Extrêmement populaire depuis les années 1970, le régime amaigrissant à base de vinaigre de cidre ne reposerait ainsi sur aucun fondement scientifique. Et les opposants de citer qu'aucun organisme officiel ne le mentionne. La seule information, qui nous parvient du Japon où l'on s'intéresse aux aliments fonctionnels, c'est que l'on reconnaît au « vinaigre obtenu par fermentation (et non par dilution d'acide acétique dans l'eau) la propriété d'améliorer le métabolisme du gras plasmatique », ce qui est loin de prétendre que le produit soit amaigrissant. Comme il a déjà été dit, face à cette controverse nous nous contenterons de citer les tenants de cette théorie qui, pour eux, s'est montrée efficace et ne peut être dangereuse pour l'organisme, sauf en cas d'excès. Les plus pragmatiques proposent de combiner ce « régime vinaigre » avec une alimentation plus saine et plus équilibrée et un peu d'exercice. L'ensemble, dit-on, se révèle assez efficace. Notons toutefois, pour appuyer quelque peu cette théorie, que le fait que le vinaigre aide à la digestion et qu'il soit aussi diurétique constitue d'excellents arguments pour faciliter un régime. « Pour les gens souffrant d'embonpoint et de cellulite, il aide, grâce à sa grande richesse en pectine et enzymes de première qualité, combiné ou non à une diète, à détruire l'excès de graisses dans les cellules. Il favorise une perte de poids progressive à la dose de 2 cuillerées à café pendant les repas, 2 à 3 fois par jour. Selon un rapport publié dans *The Medical World*, en consommant 40 grammes de vinaigre par jour, on pourrait perdre 1 kilo par mois. »

Rhume

Contre le rhume, voici une recette traditionnelle de sirop : une demi-tasse de vinaigre de cidre, une demi-tasse d'eau, 1 petite cuillerée de poivre de Cayenne, 3 cuillerées à café de miel.

Solution calmante

Pour calmer la nervosité, il suffit d'avaler pendant le repas un verre d'eau tiède contenant 1 à 2 cuillerées de vinaigre de cidre que l'on adoucit avec du miel. En cas d'insomnie, il faut le prendre juste avant de se coucher.

Troubles de la peau

Visiblement, le vinaigre aide à résoudre toutes les maladies basiques de la peau, soit en soignant avec une réelle efficacité, soit en traitant et en calmant les irritations : prurits, démangeaisons, urticaire, eczéma, psoriasis, érythème fessier, pied d'athlète, hémorroïdes, vaginite, etc. On peut l'utiliser sans danger pour toutes les affections cutanées, même pour le visage.

Vaginite

Ajouter trois tasses de vinaigre dans l'eau du bain et rester dans le bain en écartant les jambes pour que l'eau pénètre dans le vagin.

Conseils pour la beauté...

Depuis la nuit des temps, le vinaigre sous toutes ses formes a été utilisé comme produit de beauté ou complément de beauté. Qu'il soit introduit en lotion, en friction, en dilution dans le bain, il se montre très efficace sur le plan externe. Astringent, il resserre les pores de la peau, il tonifie l'épidémie et corrige l'action basique des savons, il relaxe et détend. Commercialisé comme « vinaigre de beauté », il est proposé agrémenté de différents parfums : rose, lavande, mauve, jasmin, fleur d'oranger.

Cheveux brillants

Après un shampoing, on ajoute 2 à 3 cuillerées à soupe de vinaigre dans l'eau du dernier rinçage ; le procédé donne un éclat particulier aux cheveux, les rend plus soyeux. Il régularise les sécrétions sébacées du cuir chevelu.

Crème hydratante

On trouvera facilement sur les sites spécialisés quelques recettes de produits de beauté que l'on peut réaliser soi-même. La crème hydratante pour peau est faite à base de trois huiles (olive, germe de blé et tournesol) et de vinaigre de cidre à proportions égales (3 cuillerées à soupe), auxquelles on ajoute 4 jaunes d'œufs battus. Le tout est mélangé à température ambiante et se conserve au froid.

Eau de toilette pour le visage

À base de vinaigre, elle est excellente pour les peaux grasses et à problèmes, en particulier contre l'acné juvénile bénigne ou toute autre espèce de boutons ; elle préviendrait aussi l'apparition des comédons. De plus, en resserrant les pores, le vinaigre serait bénéfique au ralentissement du vieillissement de la peau par son action antioxydante.

Massage défatigant

Un massage ou une friction régulière avec du vinaigre de beauté pur devient un antifatigue : il redonne de la vitalité et soulage de la fatigue chronique.

Lotion vinaigrée aux pétales de rose

Ingrédients
- *5 cl de vinaigre de vin blanc*
- *40 cl d'eau distillée*
- *2 belles roses rouges*

• Mélangez le vinaigre avec l'eau distillée et versez la préparation dans un flacon.

• Arrachez et roulez les pétales des deux belles roses odoriférantes et introduisez-les dans le flacon.

• Bouchez hermétiquement, agitez vigoureusement et laissez reposer dans un endroit sombre et frais pendant trois semaines.

• Utilisez cette lotion tonique et astringente comme eau de toilette.

• Cette préparation est particulièrement efficace pour atténuer la brûlure des coups de soleil.

Note : *on peut remplacer les pétales de rose par des branches de lavande pour traiter les démangeaisons intempestives.*

Nettoyant pour la peau

Facile à réaliser, ce vinaigre est excellent pour la peau. On met à macérer une poignée de pétales de rose fraîches dans du vinaigre pendant deux ou trois jours. Une fois filtré, on pourra utiliser le vinaigre de rose pour nettoyer l'épiderme.

Tonique

Le vinaigre vivifie le corps grâce à une lotion composée d'un tiers de vinaigre de beauté et de deux tiers d'eau. Il régénère la peau et la nettoie de toute trace de savon et tous résidus de calcaire et de chlore contenus dans l'eau, qui provoquent tiraillements, picotements et autres sensations désagréables.

Vinaigre et gastronomie

Généralement utilisé pour composer vinaigrettes et sauces de salades, le vinaigre peut se révéler un excellent élément en cuisine, révélateur et exhausteur de goût, donnant de la générosité et du brillant aux plats. Nombreuses sont les recettes proposées par les maisons de production de vinaigre qui n'hésitent pas à multiplier les conseils. Nous vous en avons sélectionné quelques-unes (voir chapitre suivant).

Le vinaigre en cuisine

Précieux ingrédient des recettes les plus simples comme les plus sophistiquées, le vinaigre – nous devrions d'ailleurs plutôt écrire *les* vinaigres, tant il en existe aujourd'hui de variétés – possède mille qualités que les vrais gastronomes ne sauraient négliger.

En outre, il est doté de vertus apéritives reconnues qui font littéralement *monter l'eau à la bouche*. Ce n'est d'ailleurs pas un hasard si Mme de Pompadour en recommandait l'utilisation de plus d'une trentaine de sortes pour aiguiser l'appétit du Roi-Soleil, que l'abondance de nourriture rendait paradoxalement un peu blasé sur le plan culinaire. Puisque issu du vin, le vinaigre est, comme lui, l'hôte obligé de la table, et pas seulement dans ce qu'il est convenu d'appeler les vinaigrettes. Compagnon discret des plats les plus divers, il n'a pas son pareil pour souligner des saveurs, révéler des arômes et donner de l'originalité aux mets.

Qu'il soit d'alcool, de cidre ou de vin, il suscite toujours des mariages étonnants avec des aliments aussi divers que le poisson (hareng, saumon...), les viandes (jambon, foie), les légumes crus (carottes, chou rouge, chou vert, tomates...) et certains fruits (avocat...).

Mieux encore : l'association vin-vinaigre constitue, aujourd'hui, une piste gastronomique nouvelle fondée sur la complémentarité. C'est ainsi que, dans les sauces accompagnant les viandes et les volailles, on utilisera du vinaigre de vin rouge en corrélation avec des côtes-du-rhône ou des bordeaux ; qu'un vinaigre de vin blanc sera privilégié pour l'assaisonnement des plats de crustacés et autres produits de la mer « arrosés » par des vins blancs secs... Sur cette base et en fonction de son goût, toutes les unions sont possibles.

Le prince des vinaigres

Introduit en France après la campagne d'Italie, au début du XIXe siècle, le vinaigre balsamique a pour particularité d'être issu de moûts de raisin des cépages trebbiano.

Sous l'appellation « vinaigre balsamique » se cachent en fait deux produits bien distincts :

– l'*aceto balsamico di Modena* (vinaigre balsamique de Modène), qui est un vinaigre à proprement parler ;

– et l'*aceto balsamico tradizionale di Modena* (vinaigre balsamique traditionnel de Modène), qui n'est pas un vinaigre à proprement parler, mais un condiment.

Si le premier entre dans la confection des plats et autres vinaigrettes, à l'instar des autres vinaigres, le second s'utilise comme pur adjuvant de saveur, en goutte à goutte.

Produit de terroir défini par une appellation d'origine contrôlée, le vinaigre balsamique se fabrique selon des normes techniques extrêmement précises qui imposent notamment un vieillissement en fût de trois mois minimum. D'une texture plus sirupeuse que les autres sortes de vinaigres et d'une couleur rouge profond, presque noir, il dégage une palette de saveurs uniques, subtiles et variées, singulièrement fruitée. Il se marie particulièrement bien avec l'huile d'olive.

Bon à savoir : toute bouteille de vinaigre balsamique est authentifiée par la présence d'une collerette attestant son origine. Une étiquette rouge indique que le vinaigre a moins de 3 ans d'âge, et une étiquette blanche garantit un vinaigre de plus de 3 ans.

Des vinaigres et des mets

La connaissance du bon mariage des vinaigres et des mets offre d'intéressantes perspectives gastronomiques que les amateurs ne sauraient négliger.

Qu'ils soient utilisés comme condiments, dans la confection de vinaigrettes, moutardes et autre mayonnaise, ou comme adjuvants de sauces ou de marinades, ils colorent les mets de façon toujours très originale.

Du fait de leurs spécificités propres, les vinaigres apportent en effet de subtiles variations gustatives capables de transformer un assaisonnement en une véritable œuvre d'art.

Voici quelques pistes.

• Le vinaigre blanc ou vinaigre cristal : il est exclusivement dédié à la préparation des condiments : oignons, cornichons et autres pickles.

• Le vinaigre de vin rouge : son caractère et sa saveur piquante le destinent tout particulièrement à l'assaisonnement des mets un peu fades par essence. D'où une utilisation privilégiée pour les salades vertes, le foie de veau et autres aliments du même genre.

• Le vinaigre de vin blanc : comme le vinaigre de cidre, il fait merveille dans l'accompagnement des plats de volaille, poissons, coquillages et crustacés, mais aussi avec les salades croquantes et les viandes blanches.

Les sauces hollandaise et béarnaise lui doivent aussi beaucoup de leur incomparable saveur.

À noter enfin qu'il est parfait pour déglacer les viandes blanches.

• Le vinaigre de xérès : par sa puissance et ses saveurs secrètes et mystérieuses, il se marie tout particulièrement avec les sauces à base de crème.

Il relève par ailleurs merveilleusement bien des légumes un peu fades et rudes comme l'endive, des abats comme le foie de veau.

À noter que l'alliance huile de noix-vinaigre de xérès constitue l'un des meilleurs assaisonnements qui soient pour les salades, poissons et crustacés.

• Le vinaigre de cidre : peu acide, il est particulièrement recommandé pour donner du corps aux plats de poissons, coquillages et crustacés, mais aussi pour accompagner les volailles.

Côté légumes, il s'impose comme le compagnon idéal de la plupart des champignons.

Côté fruits, sa saveur de pomme le désigne comme le vinaigre le mieux approprié pour eux.

Par ailleurs, il personnalise bien les sauces délicates comme la béarnaise.

• Le vinaigre balsamique : fin, puissant et racé, mais réputé fragile (il ne faut jamais l'utiliser dans des préparations qui impliquent une cuisson à plus de 100 °C ; dans ce cas, préférez l'introduire après la cuisson des plats), il n'a pas son pareil pour faire « vibrer » les grandes sauces, « chanter » les salades de crudités du Midi (d'autant qu'il se marie parfaitement avec l'huile d'olive) ou pour relever une viande grillée ou non, un plat de volaille, de crustacés (ah ! un filet de vinaigre balsamique sur du homard !) ou de poisson.

Ce qui ne l'empêche pas de séduire tout autant et tout aussi subtilement dans l'assaisonnement – léger et discret – des salades de fruits rouges.

On peut l'utiliser aussi avantageusement pour déglacer certains abats comme le foie de veau.

• *L'aceto balsamico tradizionale di Modena* (vinaigre balsamique traditionnel de Modène) : s'utilise au goutte à goutte pour relever un plat de viande rouge grillée, corser une pizza ou toute autre préparation à base de fromage italien. En outre, ce condiment fait merveille avec la crème anglaise.

• Les vinaigres aromatisés ou parfumés : aromatisé au basilic, à l'ail ou à l'estragon, le vinaigre sera utilisé pour les vinaigrettes destinées à accompagner les salades et les crudités, mais sera aussi un précieux auxiliaire pour accompagner les poissons et autres crustacés ; à la framboise, il apportera une délicieuse subtilité aux salades de légumes ou de fruits et s'avérera tout aussi intéressant pour déglacer les sauces ; à la menthe, il entrera dans la confection des assaisonnements de taboulé et autres plats exotiques ; aux épices, il relèvera avantageusement des plats naturellement un peu fades comme ceux construits autour de la volaille...

• Le vinaigre de riz : qu'il soit chinois (et dans ce cas, rouge) ou japonais (généralement blanc), sa douceur naturelle le destine sans mystère à l'assaisonnement des recettes aigres-douces, auxquelles il confère un caractère des plus exotiques.

Mais sa palette d'assaisonnement s'étend également aux sushis et aux viandes braisées.

• Le vinaigre de malt : sa douceur exemplaire et sa saveur un peu âcre l'orientent naturellement vers l'accompagnement des recettes d'inspiration aigre-douce, mais indiquent également son utilisation pour les préparations sucrées-salées.

La conservation du vinaigre

Comme tout produit alimentaire, le vinaigre ne se conserve pas indéfiniment, surtout si la bouteille a été entamée. L'apparition d'une « mère », substance épaisse et visqueuse qui se forme à la surface du liquide, constitue le phénomène le plus visible du vieillissement du vinaigre, indépendamment de l'altération de sa saveur. Cela étant, la présence de mère ne rend pas le vinaigre impropre à la consommation pour autant : si son goût est encore agréable, il suffit d'ôter cette mère.

Quoi qu'il en soit, on peut considérer qu'il ne faut pas conserver les vinaigres traditionnels au-delà d'une période de deux années. Quant aux vinaigres parfumés, ils ne conservent leur plein arôme qu'un an. En tout état de cause, il est conseillé de conserver ces vinaigres à l'ombre et au frais pour en préserver toutes les qualités gustatives.

Le vinaigre selon Alexandre Dumas

« Vin qui a subi la fermentation acétique. Le vinaigre est susceptible de plusieurs fabrications, qui ont toutes pour objet d'augmenter sa force : on y ajoute dans ce but, ou de l'acide acétique concentré, qu'on obtient par la carbonisation du bois en vases clos, ou de l'acide sulfurique. Ces falsifications sont assez difficiles à reconnaître : le meilleur moyen de s'y soustraire, c'est de faire soi-même son vinaigre. Le procédé suivant est très simple et très économique.

« Prenez un baril de 25 à 30 litres bien cerclé en fer ; il n'est pas nécessaire qu'il ait un trou de bonde en dessus ;

s'il en a un, fermez-le hermétiquement ; faites ouvrir sur un des fonds, à 1 pouce environ du jable, un trou de 18 lignes de diamètre ; lorsque le tonneau est en place, ce trou doit se trouver en haut ; faites placer sur le même fond, à 4 pouces du jable inférieur, un petit robinet en étain ; placez le baril à demeure dans un endroit habituellement chauffé, au moins dans les temps froids ; assujettissez-le de manière qu'on ne puisse facilement l'ébranler.

« Ces dispositions étant prises, faites bouillir 4 litres de bon vinaigre avec une demi-livre de tartre ; versez le tout bouillant dans le baril, servez-vous pour cela d'un entonnoir dont la douille soit recourbée un peu moins qu'à l'angle droit ; bouchez le trou et roulez le baril en tous sens, pour que son bois s'imprègne partout de vinaigre ; vous ne l'assujettissez qu'après cette opération ; versez immédiatement dans le tonneau 4 litres de vin. On emploie pour cela les braisières des tonneaux ; à cet effet, on les tire avec la lie et on les filtre au papier gris. Cette filtration est fort simple : on attache, par les quatre coins, entre deux tréteaux, deux chaises, ou, de toute autre manière, un linge blanc ; on le couvre d'une feuille de papier à filtrer et on verse le vin sur le papier : il passe clair et on le reçoit dans une terrine, pour le mettre ensuite dans des bouteilles de verre ou de grès qu'on tient couchées jusqu'au moment du besoin.

« Le premier vin qu'on ajoute au vinaigre est très long à s'acidifier complètement ; mais ensuite l'opération s'accélère de plus en plus, jusqu'à ce qu'enfin huit jours suffisent pour convertir de un litre à un litre et demi de vin en vinaigre.

« On accélère la première acidification en jetant dans le tonneau environ un quarteron de rognures de vigne hachées grossièrement, ou pareille quantité de fleurs de sureau ou de pétales de rose.

« Quand la première acidification est opérée on ajoute tous les huit jours un litre ou un litre et demi de vin, et on continue ainsi jusqu'à ce que le baril soit à peu près à moitié plein ; alors, chaque fois qu'on doit ajouter du vin, on tire auparavant une quantité égale de vinaigre.

« Le trou latéral doit toujours rester ouvert ; mais pour empêcher que la poussière ou des insectes ne s'y introduisent, on place, au-devant, une plaque d'étain percée de petits trous, laquelle, étant attachée avec un seul clou, peut être détournée à droite ou à gauche, lorsqu'il est nécessaire que l'ouverture soit libre.

« Le baril peut fonctionner pendant plusieurs années.

« Si on veut du vinaigre très fort, on ajoute de l'eau-de-vie au vin, dans la proportion d'un huitième : il n'y a en effet que l'eau-de-vie contenue dans le vin qui se convertit en vinaigre ; si le vin n'en contient pas assez, on remédie à ce défaut en en ajoutant.

« Les vins qu'on appelle piqués, c'est-à-dire qui commencent à tourner à l'aigre, se convertissent facilement en vinaigre, et en donnent de bons ; on n'en obtient que de mauvais avec les vins qui tournent à l'amer. »

Recettes de cuisine

Vinaigres et sauces

Mayonnaise au vinaigre de vin parfumé à l'estragon

Ingrédients
- *4 jaunes d'œufs*
- *60 cl d'huile d'olive*
- *Moutarde à l'estragon*
- *Vinaigre de vin vieux*
- *Estragon frais*
- *1 citron*
- *Sel, poivre*

- Pressez une moitié de citron. Réservez.
- Lavez l'estragon et hachez-le finement. Réservez.
- Mélangez les jaunes avec la moutarde et incorporez progressivement une bonne partie de l'huile tout en fouettant vigoureusement.
- Avec le reste d'huile mélangez le vinaigre et le jus du citron.
- Finissez de verser l'huile sans cesser de fouetter le mélange.
- Salez, poivrez et ajoutez l'estragon.
- Servez dans la foulée.

Sauce au vinaigre de mangue

Ingrédients
- *35 cl de vinaigre de mangue*

- *2 échalotes*
- *1/2 oignon*
- *35 g de champignons de Paris*
- *1 bouquet de thym*
- *1 feuille de laurier*
- *60 g de beurre*
- *10 g de farine*
- *Sel, poivre*

• Faites réduire le vinaigre de moitié avec les échalotes, le demi-oignon et les champignons hachés. Ajoutez le thym et le laurier, mixez le tout, passez au chinois.

• À feu doux, liez cette préparation avec la moitié du beurre et la farine. Incorporez le reste du beurre. Salez, poivrez.

Note : cette sauce accompagne les viandes chaudes.

Sauce pour grillades

Ingrédients
- *15 g de beurre*
- *2 oignons finement hachés*
- *2 échalotes hachées*
- *2 gousses d'ail pelées et hachées*
- *25 cl de vinaigre de vin blanc*
- *25 cl (1 tasse) d'eau*
- *10 cl de concentré de tomate*
- *Thym*
- *Laurier*
- *Sel, poivre*

• Faites fondre le beurre dans une poêle, puis mettez-y les oignons, les échalotes et les gousses d'ail. Laissez roussir.

- Ajoutez le concentré de tomate, le thym et le laurier, salez, poivrez et mouillez avec le vinaigre et l'eau.

- Laissez frémir quelques instants et servez avec des viandes grillées.

Sauce pour poisson poché

Ingrédients
- *6 cuillerées à soupe de vinaigre*
- *2 cuillerées à soupe d'échalotes finement hachées*
- *2 jaunes d'œufs*
- *60 g de beurre*
- *Sel, poivre*

- Faites réduire de deux tiers le vinaigre et les échalotes.

- Ajoutez en fouettant les jaunes d'œufs, puis le beurre. Salez, poivrez.

- Servez tiède.

(Source : Delouis.)

Vinaigre à l'estragon

Ingrédients pour 1 litre
- *1 l de vinaigre de vin vieux*
- *Estragon frais*

- Choisissez un vinaigre non pasteurisé. Mettez-le à chauffer doucement dans une casserole et retirez du feu aux premiers bouillons. Pendant ce temps, lavez les branches d'estragon et séchez-les. Remettez le vinaigre encore chaud dans sa bouteille ou dans une carafe et introduisez quelques branches d'estragon.

- Bouchez hermétiquement et laissez macérer plusieurs semaines avant consommation.

Vinaigre aux framboises

Ingrédients pour 1 litre
- *500 g de framboises fraîches*
- *80 cl de vinaigre de vin blanc*

• Réservez une dizaine de framboises.

• Lavez le reste des fruits, mettez-les dans un plat et recouvrez-les de vinaigre. Couvrez et laissez mariner 36 heures.

• Au terme du délai, lavez les framboises réservées et écrasez-les consciencieusement.

• Filtrez la marinade et introduisez-la dans une bouteille avec les framboises écrasées.

• Bouchez hermétiquement et laissez reposer dans un endroit sombre et frais pendant trois semaines avant utilisation.

Vinaigrette à l'érable

Ingrédients
- *10 cl d'huile d'olive*
- *2 cl de vinaigre de cidre*
- *2 cl de vinaigre de framboise*
- *5 cl de sirop d'érable*
- *1 gousse d'ail*
- *1 cuillerée à café de céleri déshydraté*
- *Moutarde blanche*
- *Persil plat*
- *Sel*

• Pelez la gousse d'ail et coupez-la en petits dés. Lavez le persil et hachez-en finement les feuilles.

• Mélangez soigneusement tous les ingrédients.

• Servez frais.

Vinaigrette à la clémentine et au basilic

Ingrédients
- *2 clémentines douces*
- *4 cuillerées à soupe d'huile d'olive*
- *1 cuillerée à soupe de vinaigre de xérès*
- *Basilic*

• Pressez les clémentines et filtrez-en le jus. Mélangez avec l'huile et le vinaigre en incorporant quelques feuilles de basilic.

• Mélangez bien avant de servir.

Vinaigrette à la menthe

Ingrédients
- *5 belles branches de menthe fraîche*
- *10 cl de vinaigre de vin rouge*
- *10 cl d'huile d'olive*
- *3 cuillerées à soupe de sucre en poudre*

• Lavez et séchez les feuilles de menthe avant de les hacher finement.

• Faites dissoudre le sucre dans le vinaigre, ajoutez l'huile et mélangez bien.

• Introduisez ensuite les feuilles de menthe et laissez reposer une dizaine de minutes avant utilisation.

Vinaigrette aux fruits secs

Ingrédients
- *10 cl d'huile d'olive*
- *5 cl de vinaigre*
- *1 cuillerée à soupe de moutarde*
- *Ail et oignon frais hachés*

- *10 noisettes*
- *10 amandes*
- *1 cuillerée à soupe de gruyère coupé en petits dés*
- *1 pincée de sel, poivre*

• Mélangez bien le tout, laissez macérer 1 heure (ou à proportion : 1 heure pour 20 cl de vinaigrette). Mélangez avant utilisation.

Vinaigrette « spéciale riz »

Ingrédients
- *2 cuillerées à soupe (3 cl) de vinaigre de riz*
- *3 cuillerées à café (15 g) de sucre*
- *1/2 cuillerée à café (2 g) de sel*
- *2 cuillerées à café (1 cl) de vinaigre de xérès ou de saké*

• Mélangez le vinaigre de riz avec le sucre et le vinaigre de xérès ou de saké. Salez.

Note : cette vinaigrette est destinée à assaisonner le riz utilisé pour la confection de sushis. Elle s'utilise sur le riz cuit et refroidi.

Vinaigrettes parfumées

Pour que le sel soit parfaitement dissous dans la vinaigrette, diluez-le dans le vinaigre avant de verser l'huile et de réaliser l'émulsion. Celle-ci sera d'autant plus stable que vous aurez pris soin d'y incorporer un peu de moutarde.

Rappelons encore qu'une salade verte (quelle que soit la variété de cette dernière), voire une salade d'endives, doit être assaisonnée juste avant d'être servie. Cette précaution permet d'éviter le flétrissement de la salade dû à la présence du vinaigre.

Vinaigrette classique
- *4 parts d'huile, 1 part de vinaigre, moutarde, sel, poivre.*

Vinaigrette au miel, à l'ancienne
- *2 cuillerées à soupe de vinaigre de vin blanc, 2 cuillerées à soupe de miel liquide, 1 cuillerée à café de moutarde, 5 cuillerées à soupe d'huile d'olive, sel, poivre.*

Vinaigrette à l'orange et au basilic
- *Le jus d'une orange, la moitié de vinaigre, 2 cuillerées à soupe d'huile d'olive, basilic frais haché, sel, poivre.*

Vinaigrette à la tapenade
- *5 cuillerées à soupe de vinaigre, 3 cuillerées à soupe de tapenade noire, 7 cuillerées à soupe d'huile d'olive, sel, poivre.*

Vinaigrette au citron
- *2 cuillerées à soupe de vinaigre, 6 cuillerées à soupe de jus de citron, 1 zeste de citron râpé, 8 cuillerées à soupe d'huile d'olive, sel, poivre.*

Entrées

Avocats au sirop d'érable et au vinaigre balsamique

Ingrédients pour 4 personnes
- *4 avocats*
- *4 cuillerées à café de sirop d'érable*
- *4 cuillerées à café de miel liquide*
- *1 cuillerée à café de moutarde blanche*

- *2 cuillerées à soupe de vinaigre balsamique*
- *4 cuillerées à soupe d'huile d'olive*
- *Sel, poivre*

• Mélangez le sirop d'érable, la moutarde, l'huile et le vinaigre. Salez et poivrez.

• Coupez les avocats en deux dans le sens de la longueur, récupérez la pulpe avec une cuillère et réservez les « peaux ».

• Écrasez méticuleusement la chair recueillie et adjoignez-y le mélange initialement préparé.

• Garnissez les peaux de cette préparation. Servez rapidement.

(Recette québécoise.)

Figues fraîches au fromage de chèvre et au vinaigre

Ingrédients pour 4 personnes
- *12 figues fraîches*
- *1 fromage de chèvre doux*
- *24 tranches de viande des Grisons*
- *Huile d'olive*
- *Vinaigre de xérès*
- *Ciboulette*
- *Sel, poivre*

• Lavez les figues, ôtez leur queue et coupez-les longitudinalement en tranches assez fines avant de les déposer sur un plat.

• Alternez avec les tranches de viande des Grisons.

• Assaisonnez avec la vinaigrette.

• Émiettez sur la préparation le fromage de chèvre préalablement débarrassé de sa croûte.

• Décorez avec la ciboulette finement coupée aux ciseaux.

• Mettez au frais 1 heure avant de servir.

Œufs au vinaigre

Ingrédients pour 4 personnes
- *8 œufs*
- *20 cl de vinaigre de vin*
- *10 cl d'eau*
- *Sel*
- *Sucre*
- *Herbes et épices : ail, girofle, laurier, gingembre, poivre en grains*
- *Moutarde blanche*

• Faites durcir les œufs, laissez-les tiédir, écalez-les et réservez. Mélangez l'eau avec le vinaigre, ajoutez 2 cuillerées à café d'herbes, d'épices et de sucre, plus 1 cuillerée à café de moutarde et de sel, et portez à ébullition pendant quelques minutes.

• Placez les œufs dans un bocal et recouvrez-les de la préparation bouillante. Laissez refroidir, couvrez et mettez au frais pendant deux à trois jours.

• Sortez du réfrigérateur une demi-heure avant de servir.

Salade aux fruits frais

Ingrédients
- *1 cuillerée à soupe de vinaigre de vin aromatisé à la framboise*
- *2 cuillerées à soupe d'huile d'olive*

- *Pommes, noix et salade verte ou carottes râpées et jus d'orange*
- *Sel, poivre*

• Préparez une vinaigrette avec les quatre premiers ingrédients et mélangez-y la salade de votre choix. (Source : Maille.)

Crustacés et poissons

Ailes de raie au vinaigre de cidre

Ingrédients pour 6 personnes
- *1 kg d'ailes de raie*
- *1 carotte*
- *6,5 cl de vinaigre de cidre*
- *5 échalotes*
- *2 petits oignons*
- *1 gousse d'ail*
- *2 cuillerées à soupe de câpres*
- *10 g de beurre*
- *Thym*
- *Laurier*
- *Herbes de Provence*
- *Sel, poivre*

• Épluchez la carotte et les oignons, coupez-les en lamelles et faires-les cuire au court-bouillon dans 1,5 1 d'eau parfumée avec le thym, le laurier et les herbes de Provence. Salez et poivrez.

• Lavez les ailes de raie et faites-les pocher 5 minutes dans le court-bouillon.

• Retirez-les à l'aide d'une écumoire, égouttez-les, séchez-les et réservez au chaud et à couvert.

• Pelez l'ail et les échalotes avant de les hacher grossièrement.

• Faites fondre le beurre dans une poêle et faites-y revenir le hachis avant de mouiller avec le vinaigre et d'y ajouter les câpres. Portez à ébullition, puis laissez cuire 4 minutes à feu doux.

• Dressez les ailes de raie sur le plat de service et nappez avec la sauce.

• Servez bien chaud.

Anchois au vinaigre d'estragon

Ingrédients pour 4 personnes
- *1 kg d'anchois*
- *Vinaigre à l'estragon*
- *Huile d'olive*
- *Ail*
- *Persil plat*
- *Sel, poivre*

• Choisissez de petits anchois. Lavez-les, videz-les, ôtez-leur la tête, ouvrez-les en deux et retirez délicatement l'arête centrale.

• Pelez les gousses d'ail et coupez-les en petits dés.

• Lavez le persil, égouttez-le et effeuillez-le.

• Déposez les poissons dans une terrine, salez, poivrez, ajoutez l'ail et arrosez généreusement de vinaigre. Laissez mariner au frais 24 heures.

• Au terme de ce délai, complétez l'assaisonnement avec l'huile d'olive et servez sur un plat décoré de feuilles de persil.

Calmars en persillade au vinaigre balsamique

Ingrédients pour 4 personnes
- *800 g de calmars moyens nettoyés*
- *1 cuillerée à soupe de vinaigre balsamique (de préférence extra-vieux)*
- *2 cuillerées à café de piment doux en poudre*
- *4 pincées de piment fort en poudre*
- *2 gousses d'ail (de préférence nouveau)*
- *3 cuillerées à soupe de persil haché*
- *1 cuillerée à soupe d'huile d'olive*
- *Sel, poivre*

- Pelez les gousses d'ail et hachez-les très finement. Mélangez-les au persil haché et ajoutez les deux sortes de piment en poudre, du sel et du poivre.
- Coupez les calmars en lanières de 5 mm.
- Mettez l'huile à chauffer dans une poêle anti-adhésive, puis ajoutez les calmars et faites cuire sans cesser de remuer, jusqu'à ce qu'ils ne rendent plus d'eau.
- Ajoutez le mélange ail-persil-piments. Laissez cuire 2 minutes en tournant sans cesse, puis versez le vinaigre balsamique, remuez encore 1 à 2 minutes et retirez la poêle du feu.
- Servez les calmars chauds, tièdes ou froids.

Filets de saumon au vinaigre de framboise

Ingrédients pour 4 personnes
- *400 g de filets de saumon surgelés*
- *Huile d'olive*
- *Vinaigre de framboise*
- *1 citron*
- *Sel, poivre*

• Faites cuire les filets de poisson au micro-ondes. Sortez-les du four et laissez refroidir.

• Pendant ce temps, confectionnez une abondante vinaigrette. Disposez le poisson sur un plat, recouvrez avec la sauce et laissez mariner au frais plusieurs heures.

• Égouttez avant de servir, décoré avec des tranches fines de citron.

Fruits de mer au vinaigre balsamique

Ingrédients pour 4 personnes

- *1 l de moules*
- *16 palourdes*
- *16 coques*
- *8 noix de Saint-Jacques*
- *200 g de chair de crabe*
- *1 courgette*
- *1 poivron vert*
- *1 gousse d'ail*
- *1 citron*
- *Olives noires*
- *Persil plat*
- *100 g de pissenlit*
- *Vinaigre balsamique*
- *Moutarde de Dijon*
- *Huile d'olive*
- *Sel, poivre*

• Grattez, nettoyez et faites cuire les moules, les coques et les palourdes. Ôtez les coquilles et laissez refroidir.

• Pendant ce temps, faites revenir les noix de Saint-Jacques dans un peu d'huile d'olive. Égouttez et réservez.

• Lavez et coupez la courgette crue en fines rondelles, le poivron en lamelles.

• Pelez la gousse d'ail et débitez-la en petits dés.

• Lavez le persil plat et hachez-le grossièrement.

• Mélangez l'ail et le persil à la moutarde avant d'ajouter l'huile d'olive et le vinaigre balsamique. Salez et poivrez.

• Pressez le jus du citron et incorporez au mélange.

• Lavez et épluchez le pissenlit.

• Mélangez les fruits de mer avec la chair de crabe, la courgette, le poivron et le pissenlit.

• Assaisonnez avec la sauce. Décorez avec les olives. Mettez au frais une demi-heure avant de servir.

Homard à la mangue et au vinaigre de framboise

Ingrédients pour 4 personnes
- *400 g de chair de homard*
- *1/2 mangue coupée en petits dés*
- *1 tomate épépinée et concassée*
- *2 échalotes grises émincées*
- *10 brins de ciboulette ciselés*
- *4 cl de vinaigre de framboise*
- *1/2 jus de citron*
- *3 cl (2 cuillerées à soupe) d'huile d'olive*
- *Sel, poivre*

• Faites cuire le homard entre 12 et 15 minutes dans de l'eau bouillante salée. Faites refroidir à l'eau glacée. Décortiquez le homard et coupez-le en petits dés.

• Dans un récipient, mélangez le homard, la mangue, la tomate, les échalotes grises, la ciboulette, le vinaigre de framboise, le citron, l'huile, puis salez et poivrez.

• Laissez reposer 1 heure avant de servir.

Note : ce plat se présente bien avec de la salade ou du couscous ou même sur un nid de concombre glacé.

Mérou aux légumes confits dans le vinaigre

Ingrédients pour 4 personnes

- *750 g de filets de mérou*
- *200 g de légumes confits dans du vinaigre*
- *2 petits oignons hachés*
- *2 tomates fraîches hachées*
- *6 olives noires*
- *6 olives vertes*
- *1 cuillerée à soupe de câpres*
- *20 cl d'huile d'olive*
- *Farine*
- *Sel, poivre*

• Coupez finement les légumes confits.

• Enlevez la peau du mérou, salez-le et poivrez-le, puis enrobez-le de farine.

• Faites chauffer l'huile dans une poêle et faites-y dorer les filets de mérou des deux côtés. Réservez au chaud.

• Dans la même huile, faites revenir les oignons jusqu'à ce qu'ils commencent à blondir. Ajoutez les tomates et laissez mijoter 10 minutes.

• Incorporez les légumes confits (voir recette de pickles p. 84), les olives et les câpres, salez et poivrez légèrement et maintenez à feu doux 10 minutes.

• Disposez le poisson sur le mélange, laissez mijoter encore 3 minutes, dressez sur un plat et servez.

Viandes

Bœuf au vinaigre

Ingrédients pour 6 personnes
- *1 kg de gîte*
- *3 cuillerées à soupe de vinaigre de vin vieux*
- *6 petits oignons*
- *100 g de crème fraîche*
- *2 cuillerées à soupe de farine*
- *Huile d'olive*
- *Eau*
- *Thym*
- *Laurier*
- *Sel, poivre*

- Découpez la viande en portions.
- Épluchez les oignons et coupez-les en lamelles.
- Faites mariner la viande pendant 24 heures, à couvert et au frais, dans un mélange de 3 verres d'eau avec le vinaigre de vin vieux et les oignons.
- Au terme de ce délai, égouttez la viande en réservant la marinade et jetez les morceaux dans une cocotte où vous aurez préalablement fait chauffer quelques cuillerées à soupe d'huile d'olive. Faites bien dorer et ajoutez les oignons égouttés. Laissez roussir en remuant de temps à autre.
- Versez ensuite la marinade, le thym et le laurier, portez à ébullition, salez, poivrez, puis couvrez et laissez cuire à feu doux pendant 2 heures.
- Pendant ce temps, mélangez la crème et la farine, faites-la chauffer délicatement sans cesser de remuer et nappez-en le plat avant de servir.

Boulettes de porc aux poires et au vinaigre

Ingrédients pour 4 personnes
- *1 kg de viande de porc maigre hachée*
- *1 cuillerée à soupe de colombo*
- *4 belles poires (comice)*
- *Huile d'olive*
- *Vinaigre de vin vieux*
- *Eau*
- *Sucre*
- *Sel, poivre*

• Émiettez le hachis de porc et faites-le revenir dans une cocotte dans laquelle vous aurez préalablement fait chauffer un peu d'huile. Faites dorer sans laisser griller en remuant constamment.

• Lorsque la viande est cuite, salez, mouillez avec le vinaigre, ajoutez le colombo, salez, poivrez et laissez cuire à feu doux jusqu'à évaporation complète. Retirez du feu.

• Pendant ce temps, pelez et coupez les poires avant de les faire cuire à feu doux une demi-heure dans un peu d'eau sucrée.

• Égouttez les poires et écrasez-les avant de les incorporer à la préparation de porc.

• Mélangez bien, retirez du feu, laissez tiédir et confectionnez des petites boulettes que vous ferez réchauffer rapidement au micro-ondes au dernier moment.

• Servez sur un lit de laitue et décorez les boulettes d'un saupoudrage de colombo.

Cailles grillées confites au vinaigre et au thym

Ingrédients pour 4 personnes
- *8 cailles vidées et parées*
- *2 échalotes*
- *25 cl d'huile d'arachide*
- *10 cl de cognac*
- *15 cl de vinaigre de vin rouge*
- *10 g de gros sel*
- *1 cuillerée à soupe de sucre en poudre*
- *5 grains de poivre*
- *Thym frais*

- Désossez les cailles en prenant soin de garder les cuisses attachées aux ailes.

- Glissez quelques branches de thym entre les moitiés de cailles, ficelez, puis rangez-les dans un plat en les serrant bien les unes contre les autres.

- Dans une casserole, mettez le cognac, l'huile, le vinaigre, le gros sel, le sucre, les grains de poivre et les échalotes ciselées finement. Faites chauffer le tout ; une fois l'ébullition atteinte, faites flamber 2 minutes, puis versez la préparation bien bouillante sur les cailles.

- Laissez refroidir, couvrez d'un film alimentaire et laissez mariner 24 heures au frais.

- Sortez les cailles de la marinade et faites-les cuire doucement au four pendant 10 à 12 minutes.

- Servez les cailles entières accompagnées d'une salade assaisonnée à la vinaigrette au miel (voir recette p. 65).

Côtes de porc au vinaigre de cidre

Ingrédients pour 4 personnes
- *4 côtes de porc*
- *2 gousses d'ail*
- *Cidre doux*
- *Vinaigre de cidre*
- *Herbes de Provence*
- *Sel, poivre*

• Épluchez les gousses d'ail et hachez-les finement. Étalez ce hachis sur chacune des faces des côtes de porc. Salez et poivrez.

• Déposez la viande dans un plat creux et recouvrez d'un mélange de cidre doux et de vinaigre de cidre dans une proportion de trois quarts pour un quart. Laissez mariner pendant 5 heures.

• Au terme de ce délai, égouttez, séchez, réservez la marinade et faites cuire la viande au barbecue.

• Pendant ce temps, salez et poivrez la marinade, ajoutez-y quelques pincées d'herbes de Provence et portez quelques instants à ébullition sans cesser de remuer.

• Nappez les côtes de porc avec cette sauce avant de servir.

Foie de veau au vinaigre de banyuls

Ingrédients pour 4 personnes
- *4 tranches de 150 g de foie de veau*
- *10 gousses d'ail*
- *1 botte de persil*
- *5 cl de vinaigre de banyuls*
- *10 cl de fond de veau*
- *Beurre*
- *Fleur de sel et poivre du moulin*

• Pelez et coupez les gousses d'ail en lamelles, hachez l'équivalent de persil.

• Mettez du beurre dans une poêle chaude, jetez-y l'ail et faites-le cuire jusqu'à ce qu'il soit coloré.

• Faites cuire le foie de veau avec l'ail doré et assaisonnez de fleur de sel et de poivre du moulin.

• Déglacez avec le vinaigre de banyuls, laissez réduire de moitié et ajoutez le fond de veau et le persil haché.

• Dressez le foie sur une assiette et nappez avec la sauce.

(Source : Delouis.)

Magrets de canard au vinaigre et à la mangue

Ingrédients pour 2 personnes
- *2 mangues fraîches*
- *50 g de beurre*
- *600 g de magrets de canard*
- *50 cl de vinaigre de mangue*
- *Sel, poivre*

• Coupez en cubes les mangues épluchées. Faites fondre le beurre dans une poêle. Ajoutez les morceaux de mangue et faites-les dorer à feu vif. Poivrez largement. Les morceaux doivent être un peu caramélisés. Réservez.

• Pendant ce temps, faites rissoler à sec, dans une grande poêle antiadhésive, les magrets de canard coupés en trois dans le sens de la longueur, 3 à 4 minutes de chaque côté selon le degré de cuisson désiré. Assaisonnez.

• Dressez les magrets dans le plat de service chauffé au préalable.

• Déglacez la poêle des mangues avec le vinaigre. Versez ensuite le liquide obtenu dans la poêle des magrets, ajoutez le jus qu'elles auront rendu et faites réduire le tout afin d'obtenir une consistance sirupeuse.

• Disposez les morceaux de mangue autour des magrets, nappez avec la sauce et servez.

Poulet au vinaigre à la Didithe

Ingrédients pour 4 personnes
- *1 poitrine de poulet, avec la peau*
- *1 oignon*
- *3/4 de cuillerée à thé de gros sel*
- *1/2 cuillerée à thé de poivre*
- *1 cuillerée à soupe de vinaigre*

• Préchauffez le four à 180 °C.

• Coupez l'oignon en tranches fines.

• Sur une feuille d'aluminium assez grande pour enrober la poitrine, saupoudrez la moitié du gros sel et du poivre. Ajoutez assez de tranches d'oignon pour que le poulet ne touche pas le papier d'aluminium.

• Déposez le poulet, saupoudrez du reste de gros sel et de poivre et recouvrez du reste de tranches d'oignon. Versez le vinaigre. Fermez la papillote.

• Faites cuire 45 minutes à 180 °C.

Poulet au vinaigre de xérès

Ingrédients pour 4 personnes
- *1 poulet cuit*
- *1 gros oignon*
- *400 g de champignons de Paris*
- *10 g de beurre*
- *25 cl de bouillon de volaille*
- *4 cuillerées à soupe de vinaigre de xérès*
- *Herbes de Provence*
- *Sel, poivre*

• Lavez les champignons, séchez-les et coupez-les en lamelles avant de les faire cuire une dizaine de minutes dans de l'eau salée légèrement vinaigrée.

• Pelez l'oignon et coupez-le en fines rondelles.

• Débitez la chair du poulet en lanières. Réservez.

• Faites chauffer le beurre dans une cocotte et faites-y roussir l'oignon.

• Pendant ce temps, retirez les champignons du feu, égouttez-les et jetez-les à leur tour dans la cocotte. Mouillez avec le bouillon de volaille et le vinaigre de xérès, saupoudrez d'herbes de Provence, salez, poivrez et ajoutez la chair de poulet. Laissez réchauffer à feu doux une dizaine de minutes en remuant régulièrement.

• Servez bien chaud.

Ragoût de lapin aux pruneaux et au vinaigre de vin vieux

Ingrédients pour 4 personnes

- *1 beau lapin de garenne*
- *500 g de pruneaux dénoyautés*
- *3 belles échalotes*
- *50 cl de vinaigre de vin vieux*
- *25 g de beurre*
- *Sel, poivre*

• Découpez le lapin en portions et faites-le mariner 12 heures dans 3 verres d'eau mélangés avec le vinaigre de vin vieux.

• Les 12 heures écoulées, épluchez les échalotes et coupez-les en lamelles. Faites fondre le beurre dans une cocotte et jetez-y les échalotes. Laissez roussir en remuant constamment.

• Égouttez le lapin, jetez les morceaux dans la cocotte et faites-les dorer. Salez, poivrez et ajoutez la marinade avec les pruneaux.

• Portez à ébullition, couvrez et laissez cuire à feu doux pendant 1 h 30.

Légumes et accompagnements

Chou-fleur au vinaigre de vin blanc

Ingrédients pour 4 personnes
- *1 chou-fleur*
- *50 à 75 cl de vinaigre de vin blanc*
- *150 g de sucre en poudre*
- *Noix de muscade*
- *Graines de moutarde*
- *Laurier*
- *Sel, poivre*

• Lavez le chou-fleur et débitez-le en petits bouquets.

• Faites chauffer le vinaigre à feu doux dans une casserole et faites-y dissoudre le sucre jusqu'à ébullition.

• Ajoutez 1 cuillerée à dessert de graines de moutarde, quelques feuilles de laurier et râpez un peu de noix de muscade. Salez et poivrez.

• Ajoutez alors les bouquets de chou-fleur, laissez frémir, puis réduisez le feu, couvrez et laissez cuire 15 minutes environ.

• Laissez refroidir et placez au réfrigérateur une bonne heure avant de servir.

Note : pour des raisons esthétiques autant que gustatives, le chou-fleur doit rester ferme.

Chutney d'automne

Ingrédients pour 2 kg de chutney

- *450 g de prunes dénoyautées et coupées en morceaux*
- *450 g de poires et de pommes à cuire épépinées et coupées en morceaux (non épluchées)*
- *225 g de raisins secs*
- *225 g d'oignons émincés*
- *Le zeste et le jus de 1 orange*
- *57 cl de vinaigre de cidre*
- *350 g de cassonade*
- *1/4 de cuillerée à café de cannelle*
- *1/4 de cuillerée à café de gingembre en poudre*
- *1/4 de cuillerée à café de clous de girofle en poudre*

• Mettez les fruits, les oignons, le vinaigre, le zeste et le jus de l'orange dans une casserole. Portez à ébullition, puis baissez le feu, couvrez et laissez cuire 45 minutes.

• Ajoutez la cassonade et les épices et mélangez, laissez cuire à petit feu et à découvert jusqu'à ce que la cassonade soit dissoute. Continuez de cuire jusqu'à l'obtention d'un chutney bien épais (tout le jus doit être absorbé).

• Versez dans des pots stérilisés. Fermez hermétiquement et conservez deux mois dans un endroit frais et sombre avant de déguster avec un plat de viande ou un plat à base de fromage.

Cornichons au vinaigre

Ingrédients

- *1 kg de cornichons*
- *1 l de vinaigre blanc*
- *1 gros oignon émincé*

- *Gros sel*
- *Aromates : petits piments, brins de thym, feuilles de laurier émiettées, brins d'estragon, grains de poivre noir et blanc, grains de coriandre, clous de girofle, etc.*

- Triez les cornichons en éliminant ceux qui sont mous ou abîmés.

- Lavez les bons à l'eau froide et essuyez-les.

- Versez une couche de gros sel dans une terrine et mettez-y les cornichons, puis versez une deuxième couche de gros sel et mélangez le tout. Laissez dégorger 24 heures.

- Rincez abondamment les cornichons à l'eau froide ; séchez-les soigneusement. Répartissez-les dans des bocaux ébouillantés en intercalant l'oignon et les aromates.

- Versez le vinaigre de vin blanc par-dessus pour les recouvrir complètement ; fermez les bocaux et rangez-les dans un endroit frais et sombre.

- Patientez au moins un mois avant de consommer.

Navets au vinaigre

Ingrédients
- *1 kg de petits navets nouveaux*
- *1 betterave rouge cuite*
- *3 gousses d'ail*
- *2 cuillerées à soupe de gros sel*
- *20 cl de vinaigre d'alcool blanc*

- Épluchez et lavez les navets. Pelez la betterave et les gousses d'ail.

- Ébouillantez un grand bocal et séchez-le.

- Rangez-y les navets entiers s'ils sont petits, coupés en deux s'ils sont plus gros. Ajoutez la betterave rouge coupée en quatre et les gousses d'ail entières. Versez le vinaigre et ajoutez le gros sel dans le bocal, complétez au besoin par un peu de vinaigre afin que les navets soient recouverts de liquide.

• Bouchez hermétiquement le bocal et laissez mariner pendant une semaine.

Note : ces navets se marient très bien avec les viandes froides et la charcuterie. Il est préférable de ne les consommer qu'au bout de huit à quinze jours de macération. Lorsque le bocal est ouvert, les navets ne se conservent qu'une semaine.

Pickles

Condiment anglo-saxon à base de légumes ou de fruits (ou d'un mélange des deux) conservés dans un vinaigre aromatisé, les pickles servent à accompagner les viandes froides, ragoûts et bouillis, les amuse-gueules à l'apéritif ou forment des éléments de hors-d'œuvre variés. Le vinaigre utilisé peut être de vin, de cidre, de champagne ou d'alcool.

Ingrédients
- *Légumes de saison : chou-fleur, brocoli, haricots verts, carottes, oignons, concombre, poivron rouge, champignons de Paris...*
- *Herbes aromatiques, cannelle, poivre en grains, baies de genièvre, clous de girofle, graines de moutarde...*
- *Vinaigre d'alcool*
- *Sel*

• Lavez et préparez des bouquets de chou-fleur, de brocoli, des tronçons de haricots verts.

• Taillez les carottes, les oignons, le concombre, le poivron rouge épépiné.

• Nettoyez les champignons de Paris.

• Faites blanchir séparément les légumes (sauf les champignons) dans une grande quantité d'eau bouillante salée pendant 2 à 3 minutes. Il faut que les légumes restent croquants.

• Mettez-les en différentes couches dans des bocaux en verre transparent munis d'un couvercle à vis en pensant à alterner les couleurs.

• Faites bouillir le vinaigre d'alcool et laissez infuser, suivant vos goûts, herbes aromatiques, cannelle, poivre en grains, genièvre, girofle, graines de moutarde...

• Versez le vinaigre tiédi par-dessus les légumes et couvrez à hauteur de manière que tous soient immergés.

• Laissez reposer à température ambiante un mois. Consommez dans l'année.

Poires au vinaigre

Ingrédients
- *5 kg de poires à chair ferme épluchées*
- *1 l de vinaigre de vin rouge*
- *1 kg de sucre cristallisé*
- *10 clous de girofle*
- *1 bâton de cannelle*

• Faites bouillir le vinaigre avec le sucre, les clous de girofle et le bâton de cannelle. Déposez-y les poires et laissez frémir jusqu'à cuisson complète.

• Lorsque les poires sont cuites, transvasez-les délicatement dans des bocaux.

• Faites réduire le jus d'un tiers, laissez refroidir jusqu'au lendemain et versez sur les poires.

• Fermez hermétiquement les bocaux.

Desserts

Salade de clémentines et de kiwis au vinaigre

Ingrédients pour 4 personnes
- *8 clémentines*
- *6 kiwis*
- *50 g d'olives noires dénoyautées*
- *25 g de raisins de Corinthe*
- *Feuilles de menthe*
- *Vinaigre balsamique*

- Pelez les clémentines et les kiwis, puis coupez-les longitudinalement en tranches assez fines avant de les dresser harmonieusement sur un plat.
- Lavez et taillez finement les feuilles de menthe.
- Décorez le plat avec la menthe, les olives et les raisins de Corinthe.
- Ajoutez quelques gouttes de vinaigre balsamique.
- Mettez à rafraîchir une heure avant de servir.

Salade de fruits rouges

Ingrédients
- *Fraises, framboises, fruits rouges*
- *Vinaigre balsamique de Modène*

- Lavez les fruits, émincez les fraises. Mélangez l'ensemble en y ajoutant quelques gouttes de vinaigre balsamique de Modène.

Soupe de cerises, épices douces et vinaigre balsamique

Ingrédients pour 6 personnes
- *1 kg de cerises Burlat*
- *2 cuillerées à soupe de vinaigre balsamique*
- *30 cl de cidre doux*
- *2 g de poivre de Sichuan*
- *2 g de cardamome verte*
- *2 g d'anis vert*

• Réduisez en poudre les épices à l'aide d'un moulin à café ou d'un mortier.

• Dénoyautez les cerises, coupez-les en deux.

• Mettez les cerises et la poudre d'épices dans une casserole antiadhésive sans matière grasse et versez le vinaigre, mélangez, puis ajoutez le cidre ; faites cuire sur feu vif 2 minutes.

• Mettez à refroidir au réfrigérateur.

Note : cette soupe est meilleure dégustée froide ou tiède avec de la glace à la vanille.

Décoration

Vinaigre en robe d'automne

Ingrédients
- *1 l de vinaigre d'alcool blanc*
- *3 fleurs de dahlia pompon*
- *Pétales de chrysanthème*
- *1 capucine*
- *2 petits oignons blancs*
- *1 feuille de laurier-sauce*
- *1 branche de thym*
- *4 raisins secs*

• Lavez les fleurs, le laurier, le thym. Épluchez les oignons et coupez-les en deux.

• Choisissez un bocal à la forme originale qui ferme hermétiquement. Lavez-le soigneusement. Placez dedans de façon artistique tous les ingrédients.

• Versez doucement le vinaigre et fermez le bocal. Laissez macérer pendant un mois.

Deuxième partie
Le citron

Le citron,
un concentré de soleil

La plante qui donne le citron, le citronnier (*Citrus limonum*) appartient à la famille des Rutacées ; c'est un arbre à feuillage persistant, de deux à cinq mètres de hauteur, avec des feuilles elliptiques, ou allongées, légèrement parfumées. Pendant la floraison, l'arbre se couvre de fleurs très odorantes dont les pétales blancs offrent des nuances lilas.

Son fruit, de couleur jaune brillant, peut avoir une forme ovale, sphérique ou elliptique ; il est formé de cinq à douze quartiers recouverts d'une écorce à grain fin ou moyen, riche en substances aromatiques. Les quartiers sont constitués d'une pulpe parfumée et juteuse. Les dimensions des fruits et leur forme dépendent de la variété de la plante et du terrain où elle est cultivée.

Il existe, en effet, plusieurs variétés de citronniers : les plus connus sont : Verna, Mesero (Espagne) Eureka, Lisbonne (États-Unis) Interdonato ou Speciali, Feminello, Monachello, Lunario (Italie), Lime ou citron vert (Côte d'Ivoire).

Le citronnier présente une caractéristique typique, celle d'être remontant, c'est-à-dire qu'il peut refleurir plusieurs fois au cours d'une même année ; sur une même plante, il peut donc y avoir en même temps des fleurs et des fruits à différentes étapes de leur développement.

Depuis le mois de mars jusqu'au mois d'octobre, six floraisons se succèdent, et chacune produit des fruits pourvus de caractéristiques propres, selon le mois de production.

La floraison du printemps est la plus importante tant par la qualité que par la quantité de fruits obtenus, qui mûrissent depuis le mois d'octobre jusqu'au mois de mai.

CITRON *(Citrus limonum Risso)*

1. *Fleur.* 2. *Branche jeune.* 3. *Fruit vert.* 4. *Diagramme floral.* 5. *Coupe transversale d'un fruit : o, glande oléifère ; e, excroissance constituant la pulpe.* 6. *Pistil : d, disque*

Dans une récolte, on distingue quatre classes de citrons : extra, I, II, III ou marchands. Les fruits les moins appréciés sont destinés aux industries de transformation. En effet, outre la consommation directe, le citron est également utilisé très largement par les industries alimentaires, y compris les industries productrices de boissons, et par l'industrie pharmaceutique et cosmétique.

Le citronnier, très sensible au froid, vit bien dans les régions à climat doux avec un taux d'humidité réduit.

Les conditions climatiques favorables à la culture des citrons sont réunies surtout dans les pays méditerranéens (Italie, Grèce, Espagne), dans certains États des États-Unis (Floride, Californie), au Mexique, en Inde, en Argentine, au Brésil, en Égypte, en Turquie.

Les États-Unis occupent la première place dans la production mondiale de citrons, suivis par l'Italie. Mais c'est l'Espagne qui est le plus gros exportateur de citrons et de sous-produits dérivés de cet agrume (jus, écorce, etc.).

Les citrons européens sont surtout exportés dans les pays d'Europe orientale : Pologne, Hongrie, Allemagne, etc.

En Europe, la région qui produit la plus grande quantité de citrons est, de loin, la Sicile.

En France, la Provence (et plus précisément de Nice à Menton) est la région la plus propice à la culture des citronniers.

L'origine du citron

L'histoire du citron commence en Orient. En effet, ce fruit est originaire de l'Inde, où il pousse encore aujourd'hui à l'état sauvage dans les régions situées au sud de l'Himalaya.

À partir de l'Inde, il s'est lentement répandu dans toute l'Asie, dans l'ancienne Médie et en Mésopotamie.

Nous n'avons pas d'information précise concernant l'époque où eut lieu son passage vers l'Europe ; le citron fut probablement transporté en Palestine par les peuples hébraïques, qui utilisaient ce fruit dans certaines cérémonies religieuses. De la Palestine en passant par l'Afrique, le citron arriva en Europe.

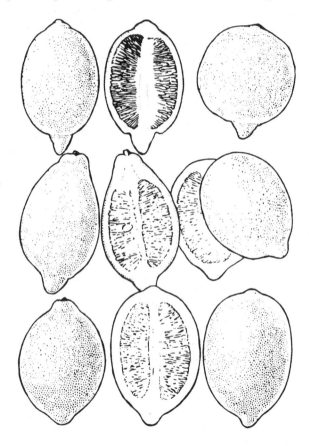

Il existe plusieurs variétés de citrons, de forme plus ou moins allongée, avec ou sans pépins

Le citron était certainement déjà connu des Romains à partir du Ier siècle après J.-C. ; en effet, les mosaïques et les peintures retrouvées sur les murs des maisons de Pompéi et d'Herculanum représentent également, parmi les nombreux arbres fruitiers, des plantes chargées de citrons qui apparaissent également dans les décorations des produits issus de l'art du verre très raffinés de cette époque. Le citronnier et les autres espèces de genre *Citrus* ont d'abord été regroupés sous le nom de « pommiers de Médie ou de Perse » et plus tard, à l'époque de Pline, sous le nom de *Citrus*.

L'aspect et la couleur de ce fruit, qui semble prendre vie directement du soleil, ont contribué à faire naître des légendes fantastiques concernant son apparition sur Terre, à un point tel qu'en Grèce il était utilisé au cours des cérémonies nuptiales comme symbole de fécondité.

Les premières descriptions du citron et de son emploi à des fins thérapeutiques remontent aux ouvrages de Théophraste, élève d'Aristote, considéré comme le fondateur de la phytothérapie scientifique ; il a décrit les propriétés de ce fruit, ses indications, et il a établi, en outre, certaines règles pour sa culture.

Pline a lui aussi parlé des citrons dans ses traités. Il les prescrivait comme antidote à des poisons de différentes natures. Des descriptions semblables à celles-ci ont également été retrouvées dans des ouvrages écrits en Chine entre la fin de l'an 900 et le début de l'an 1000 après J.-C., sous la dynastie Song, ainsi que dans des textes anciens d'auteurs arabes.

En Europe du Sud, la véritable culture du citron, effectuée sur de vastes étendues, commença au IVe siècle après J.-C., et c'est également à cette époque que remonte son utilisation comme remède contre les infections.

Pendant les siècles suivants, l'utilisation thérapeutique du citron devint très commune, son jus fut utilisé comme vermifuge, diurétique, et contre la dyspepsie et les vomissements.

Au cours du XVe siècle, on découvrit par hasard que le jus du citron soignait le scorbut, maladie répandue surtout parmi les marins qui ne se nourrissaient, pendant de longues périodes, que de farines et d'aliments en conserves. On commença donc à utiliser les citrons en grande quantité à bord des navires et, par le biais de ces voyages en mer, ce fruit fut introduit dans les pays du nord et du centre de l'Europe. Les navires étrangers qui arrivaient en Méditerranée embarquaient des cargaisons de citrons en les payant avec des marchandises précieuses et même avec de l'or ; les fruits acquis étaient en partie utilisés dans l'alimentation des marins et revendus à des prix très élevés dans les pays du nord de l'Europe, où le citron était considéré comme un produit de grand luxe. À une époque plus récente (XVIIIe siècle), le citron commence à être utilisé dans la cuisine pour aromatiser toute sorte de nourriture, sucrée ou salée.

Au fil du temps, et à cause de l'apparition des médicaments que les industries chimiques produisent synthétiquement, la possibilité d'utiliser des produits de la terre (les aliments proprement dits, les herbes, etc.) comme médicaments naturels a été oubliée, même si dans de nombreuses situations ils peuvent se révéler très efficaces.

CITRON
(Citrus limonum Risso)

L'emploi du citron comme remède naturel à de nombreux maux, tel qu'il était utilisé au cours des siècles passés, tant dans le milieu médical que dans la pratique populaire, a été abandonné, et de nos jours ce fruit est surtout utilisé pour assaisonner, aromatiser et développer le goût des aliments. S'il est vrai que le citron rend toutes les nourritures plus savoureuses et plus appétissantes, il est tout aussi vrai que, grâce à ses vertus incomparables, il mérite d'être amplement utilisé en dehors d'un usage strictement gastronomique.

Il est désormais possible, grâce aux connaissances scientifiques modernes, de redécouvrir les propriétés thérapeutiques du citron et de reconnaître son importance en tant que plante médicinale. Le moment est donc venu de pouvoir profiter des effets bénéfiques que cet aliment peut avoir sur notre organisme, en apprenant à en faire grand usage non seulement en cuisine, mais aussi à travers les innombrables préparations visant à protéger notre santé.

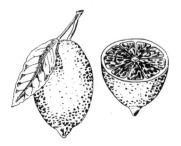

Composition et propriétés

La valeur nutritionnelle du citron provient de son contenu en vitamines, sels minéraux et acides organiques, substances indispensables au bon fonctionnement de notre organisme. Hormis ces composants, certains ont une action efficace dans la prévention et dans le soin de nombreux troubles. Il est donc important de connaître les principaux facteurs nutritionnels qui composent le citron, afin de pouvoir expliquer ses effets sur l'organisme humain.

TABLEAU DE COMPOSITION DU CITRON (POUR 100 G DE PULPE)

eau	90 g	calcium	20 mg
protéines	0,7 g	magnésium	7 mg
lipides	0,1 g	fer	0,2 mg
glucides	3,1 g	phosphore	20 mg
cellulose	1 g	acides	9 g
calories	15	organiques	
vit. B_1	0,4 mg	vit. PP	0,3 mg
vit. B_2	0,1 mg	sodium	6 mg
vit. C	50 mg	potassium	160 mg

Examinons maintenant brièvement les composants principaux du fruit mûr, sans oublier que le citron, comme tous les fruits, transmet à celui qui le consomme l'énergie vitale qu'il a puisée de la terre, du soleil et de la lumière : il s'agit donc d'un aliment vivant, qui peut nous offrir des bienfaits non négligeables.

Les vitamines

Il s'agit de substances qui règlent les processus métaboliques. Leur présence, même en quantité très réduite, est irremplaçable pour le bon fonctionnement de l'organisme, puisque c'est seulement grâce aux vitamines qu'il est possible d'utiliser les facteurs nutritionnels contenus dans les aliments. De nombreuses études et expériences médicales ont montré qu'en leur absence les processus plastiques et énergétiques de l'organisme ne peuvent avoir lieu ; dans la pratique, sans les vitamines, l'homme tombe malade, ce qui prouve la fonction protectrice de ces substances indispensables pour garder un bon état de santé.

Les vitamines contenues dans les fruits et les légumes sont produites à partir de substances élaborées par le biais de processus biologiques ; il s'agit donc de composés vitaux dont la valeur est sans aucun doute supérieure à celle apportée par les vitamines synthétiques fabriquées dans des laboratoires chimiques aseptisés.

Comme le montrent les données présentées sur le tableau, le citron contient une quantité très élevée de vitamine C ; il est en effet considéré comme l'une des principales sources alimentaires de cette substance.

Étant donné l'importance que la vitamine C a dans notre organisme, nous allons approfondir ce sujet en lui consacrant le chapitre suivant.

D'autres vitamines présentes en quantité appréciable dans le citron sont les vitamines B_1, B_2 et PP.

La *vitamine B_1*, ou thiamine, est antinévritique, tonique, antidépressive, elle améliore le fonctionnement du système cardio-vasculaire.

La *vitamine B_2*, ou riboflavine, favorise la croissance chez l'enfant, protège la peau et les muqueuses et préserve les structures de l'œil.

La *vitamine PP*, ou niacine, est responsable du bon fonctionnement du système nerveux et de l'appareil digestif ; elle agit en outre sur les vaisseaux sanguins et la peau, et confère à cette dernière de la souplesse et du tonus.

Les sels minéraux

Ils sont présents dans le corps humain en un pourcentage correspondant à environ 5 % du poids corporel. Ils ont une double fonction dans notre organisme : ils font partie de la structure organique de nombreux tissus et, en outre, comme les vitamines, agissent en coordonnant les différents processus biologiques. Ce sont des éléments protecteurs, dont la plupart agissent comme catalyseurs, en activant des réactions physiologiques.

Dans le citron, on trouve une quantité assez importante de *potassium*. Ce minéral règle l'activité cardiaque et l'activité nerveuse, il permet de garder en bon état la musculature et possède en outre des qualités hypotensives, c'est-à-dire qu'il est efficace pour maintenir la tension artérielle dans des valeurs basses. Cette dernière propriété du potassium est opposée à celle du *sodium*, également présent dans le citron, mais dans des quantités très faibles ; ce minéral est en mesure de provoquer, lorsqu'il est présent en excès, l'augmentation des valeurs de la tension.

Le calcium, le phosphore, le fer et le magnésium sont les autres sels minéraux contenus dans le citron. Le *calcium* fait partie intégrante du tissu osseux et entre dans la constitution des dents, il participe au processus de contraction et de relaxation des muscles, à la coagulation du sang et à la transmission de l'impulsion nerveuse ; il règle également le rythme cardiaque.

Le *phosphore*, grâce à une action combinée avec le calcium, participe à la formation de la structure du squelette humain ; il sert également à produire des composants organiques riches en énergie.

Le *fer* est antianémique et entre dans la composition des protéines qui constituent les muscles.

Le *magnésium* contrôle la transmission de l'influx nerveux et la contraction musculaire ; il a en outre une action légèrement sédative sur le système nerveux.

Les vitamines et les sels minéraux ont une fonction de désintoxication de l'organisme parce que, par le biais de l'activation des processus métaboliques, ils empêchent l'accumulation des déchets dans les tissus en améliorant ainsi le tonus et la « forme » de l'individu.

Les acides organiques

Le citron mûr contient une bonne quantité d'acide malique et d'acide tartrique, ainsi qu'une quantité élevée d'acide citrique.

Ces acides organiques jouent un rôle très important dans la régulation de l'équilibre entre les éléments acides et les éléments basiques ou alcalins présents dans l'organisme. Pour le bon fonctionnement des structures cellulaires, il est nécessaire que l'environnement interne soit légèrement alcalin. Les acides organiques, en se combinant à l'intérieur du corps humain avec des métaux alcalins, produisent des carbonates et des bicarbonates, c'est-à-dire des composants ayant une action basique.

Leur fonction consiste donc à neutraliser l'excès d'acidité qui peut se présenter dans de nombreuses situations dont la plus commune est produite par l'ingestion en quantité d'aliments acidifiants (viandes, fromages, œufs, céréales). L'excès d'acidité, ou acidose, provoque un certain nombre de dégâts ; dans les cas les plus bénins, qui sont heureusement les plus répandus, ils se manifestent par une résistance plus faible aux infections, une augmentation de l'apparition des arthrites et des problèmes rhumatismaux ainsi que par une activation des processus de vieillissement.

L'idée communément répandue selon laquelle le citron serait un fruit acidifiant est donc complètement erronée ; au contraire, il exerce une action alcalinisante due à la présence d'acide citrique.

Bien évidemment, le goût franchement acide de son jus a donné au citron sa mauvaise réputation de fruit acide pour l'organisme, contribuant à faire naître nombre de préjugés quant à son emploi régulier.

Il faut garder présent à l'esprit que l'acidité du jus de citron n'a rien à voir avec son action sur l'équilibre acido-basique de l'organisme.

Après avoir établi les propriétés alcalinisantes du citron, il est donc aisé d'expliquer l'utilité de son emploi dans de nombreuses situations pathologiques qui s'accompagnent d'acidose comme les arthrites, la goutte, etc.

En cas d'hyperacidité gastrique, contrairement à ce que l'on croit communément, l'ingestion de jus de citron est fortement conseillée, parce que les bicarbonates qui se forment sous l'action des acides du citron neutralisent l'acide chlorhydrique que les parois de l'estomac produisent en excès dans de telles situations.

L'acide citrique est important également pour son effet reminéralisant ; en effet, il facilite l'absorption du calcium au niveau intestinal et rend possible la fixation cellulaire de ce sel minéral, indispensable à la formation et à l'entretien de la structure normale des os et des dents.

Enfin, la puissante action antiseptique du citron est due à la présence d'acides organiques. Le citron peut donc jouer le rôle d'un bon désinfectant naturel.

La cellulose

Il s'agit d'un polysaccharide que l'appareil gastro-intestinal de l'homme ne peut dégrader puisqu'il ne possède pas les enzymes spécifiques.

La cellulose constitue, avec les pectines, dont est riche la partie blanche à l'intérieur de la peau appelée albédo, les fibres alimentaires du citron.

Ces fibres diététiques ont la propriété d'absorber l'eau et les substances organiques au niveau intestinal ; ce qui entraîne une sensation de satiété, une augmentation de l'activité intestinale (effet anticonstipation) et une régulation de la microflore présente dans la dernière partie de l'appareil digestif.

Lorsqu'on parle de la composition du citron, on ne peut négliger deux autres composants importants de ce fruit : les enzymes et l'eau métabolique, dont les valeurs numériques ne figurent pas dans les tableaux, car il s'agit de substances que l'on ne peut doser avec les instruments habituellement utilisés pour déterminer la composition d'un aliment.

Les enzymes

Les enzymes sont des substances capables d'activer des réactions biochimiques. Dans notre organisme elles favorisent constamment de nombreux processus biochimiques dont chacun nécessite, pour se réaliser, l'intervention d'une enzyme spécifique.

Pour avoir une idée des fonctions enzymatiques, il suffit de penser à l'importance que les enzymes digestives (pepsine, trypsine, etc.) revêtent dans le processus de digestion et d'absorption des aliments introduits par l'alimentation.

Dans les structures organiques sont donc présentes bon nombre de substances ayant une activité enzymatique, toutes indispensables. Le manque ou la carence d'une seule de ces enzymes ont de graves conséquences sur l'organisme entier. La phénylcéto-nurie, maladie héréditaire compromettant différents organes, peut en constituer un bon exemple. Dans cette maladie, le défaut génétique est constitué par le manque d'une seule enzyme spécifique.

Le citron contient des enzymes naturelles et des substances équilibrantes qui améliorent l'activité des composés aux fonctions enzymatiques, déjà pré-sents dans le corps humain ; en particulier, on active l'arginase, qui sert à la production de l'urée dans le foie, processus par lequel sont éliminés les déchets produits par le catabolisme des substances azotées.

L'eau métabolique

C'est l'eau qui entre dans la constitution des tissus végétaux : elle sert à nourrir les cellules et se trouve constamment élaborée par les cellules.

Elle est riche en éléments vitaux : les enzymes, les acides aminés, les biostimulines, les oligoéléments, des principes actifs qui échappent à toute tentative de classification schématique et qu'aucun système arti-ficiel, bien que très sophistiqué, ne peut reproduire car elle représente l'essence même de la vie végétale.

La vitamine C

En 1928, après des années d'études, fut isolée pour la première fois une substance biologique aux effets multiples : il s'agissait de la vitamine C, ou acide ascorbique. Ce composé organique est facilement soluble dans l'eau et se révèle essentiel pour la vie et la santé.

Présente en quantité élevée dans le citron, dans les agrumes en général et dans d'autres produits végétaux (persil, poivron, épinard, etc.), cette vitamine ne peut être synthétisée par l'organisme humain et doit donc être présente dans les apports, c'est-à-dire dans le régime alimentaire. Ces dernières années, on a souvent entendu parler de la vitamine C, de ses principales sources alimentaires et de ses propriétés, à un point tel qu'à l'heure actuelle, lorsqu'on parle de citron, on pense tout de suite à la vitamine C ; de ce fait, on donne beaucoup d'importance à cette substance au début de la saison hivernale, quand apparaissent les premiers rhumes ou les premiers symptômes de la grippe.

Les propriétés de la vitamine C

L'intérêt suscité par cette vitamine est largement justifié par les effets bénéfiques qu'elle apporte ; dans les milieux scientifiques on accomplit encore aujourd'hui des études approfondies afin d'augmenter la connaissance de son mécanisme d'action et de ses vastes possibilités d'emploi.

Il est tout d'abord utile de rappeler que le mécanisme d'action est probablement dû à la capacité de l'acide ascorbique de réguler les processus d'oxydation et de réduction qui ont lieu à tous les niveaux dans notre organisme. La fonction respiratoire des cellules est liée à la possibilité de s'oxyder et de se réduire, c'est pourquoi la vitamine C, en améliorant la respiration des cellules des différents organes, apporte une amélioration du tonus et de la condition générale de l'organisme, entraînant des effets positifs sur les activités physiques et mentales de l'individu.

Les propriétés de la vitamine C sont bien plus nombreuses que celles qu'on lui prête communément et gagnent à être mieux connues. Voyons ensemble ces différentes propriétés, en commençant par les plus connues, les propriétés anti-infectieuses.

Propriétés anti-infectieuses

L'acide ascorbique protège des pathologies infectieuses, dont la plus commune est le rhume, avec une action directe non sur les agents responsables de l'infection, les micro-organismes, mais sur l'individu qui les héberge, en d'autres termes, il renforce les défenses de l'organisme en en augmentant la résistance.

Cet effet est dû à la particularité de la vitamine C, qui favorise la production naturelle des anticorps et stimule l'activité des phagocytes, cellules qui détruisent les micro-organismes en les « mangeant ». L'acide ascorbique agit également sur les parois internes des voies respiratoires, les muqueuses, qu'il maintient intactes grâce à une action sur la substance conjonctive qui les lie.

L'intégrité des muqueuses constitue la première barrière défensive contre l'attaque des virus et des bactéries dans l'organisme humain.

Pour toutes ces actions, la vitamine C est utilisée dans la prévention et le soin des maladies dues aux refroidissements et aux maladies infectieuses en général.

Fonction cardio-protectrice

L'un des effets les plus importants de la vitamine C réside dans sa propriété de maintenir de faibles valeurs de cholestérol dans le sang. L'acide ascorbique exerce cette action en favorisant la transformation du cholestérol en acide biliaire ; en d'autres termes, en présence de vitamine C, le taux de cholestérol diminue parce que cette substance est utilisée en grande partie pour la production des acides biliaires. Il s'ensuit que la vitamine C protège de l'artériosclérose due à l'excès de cholestérol, et des autres conséquences cardio-vasculaires que cette affection entraîne.

Propriétés antihémorragiques

La vitamine C intervient dans la production de collagène, substance qui cimente les parois des vaisseaux sanguins. Sa présence rend les vaisseaux, surtout les plus petits, les capillaires, plus résistants et moins sujets à rupture. L'emploi de l'acide ascorbique est particulièrement indiqué en cas de saignement des gencives et de petites blessures. À ce propos, il convient de rappeler que, en facilitant la production de collagène, cette vitamine entraîne également une cicatrisation plus rapide des blessures.

Propriétés antianémiques

L'acide ascorbique favorise l'absorption intestinale du fer et la distribution dans l'organisme de ce minéral, accomplissant ainsi une action antianémique.

Fonction antistress

Récemment, certains scientifiques ont mis en évidence le rôle de la vitamine C comme facteur de protection des effets du stress. Cette propriété est probablement due à l'action de la vitamine C sur les surrénales, qui utilisent l'acide ascorbique pour la synthèse des hormones surrénaliennes. Les situations de stress, qu'elles soient provoquées par des problèmes de nature physiologique (traumatismes, agressions microbiennes, etc.) ou de nature psychique, entraînent une production accrue d'hormones de la part des glandes surrénales, et par conséquent une consommation particulièrement élevée d'acide ascorbique.

Un apport approprié en vitamine C met en condition de faire face au stress de la meilleure façon, tout en protégeant de la fatigue et de la dépression.

Propriétés antitoxiques

Depuis l'Antiquité, on connaît la propriété de la vitamine C de rendre inactives certaines toxines bactériennes et certains venins d'animaux et de végétaux.

Les besoins en vitamine C

Maintenant que nous avons examiné les principales qualités connues de l'acide ascorbique, nous pouvons nous rendre compte des raisons de son emploi, tant pour la prévention que comme véritable traitement thérapeutique.

Les besoins en vitamine C chez l'homme adulte sont d'environ 60-70 milligrammes par jour, tout en gardant à l'esprit que ces valeurs doivent être augmentées dans des situations physiologiques ou pathologiques, ou bien quand cela se révèle nécessaire, comme en cas de grossesse, d'allaitement, de croissance, de maladie infectieuse, de stress psychophysiologique, de diabète, etc.

Un régime varié, riche en légumes et en fruits, est normalement suffisant pour couvrir les besoins en vitamine C, pourvu que les légumes et les fruits soient frais et consommés de préférence crus.

Cent grammes de citron apportent 50 milli-grammes d'acide ascorbique, par conséquent, la consommation de deux citrons par jour est déjà suffisante pour couvrir les besoins en vitamine C de notre organisme.

La carence en vitamine C, ou hypovitaminose, se manifeste quand l'ingestion de cette substance via les aliments est fortement réduite ; par conséquent, l'organisme se voit contraint à puiser dans ses réserves qui, bien entendu, sont fort limitées.

La forme la plus grave d'hypovitaminose est représentée par le scorbut. Comme nous l'avons dit précédemment, il s'agit d'une maladie qui touchait surtout les marins au cours des siècles passés et tous ceux qui se nourrissaient pendant de longues périodes d'aliments en conserves et donc dévitaminés.

La symptomatologie de cette maladie consiste en palpitations cardiaques, douleurs dans les membres inférieurs, gencives tuméfiées et douloureuses, avec la formation d'ulcères et la perte des dents qui s'ensuit, en manifestations hémorragiques diffuses au niveau des muqueuses (gencive, conjonctive, cavité articulaire) et en une prédisposition accrue aux infections de l'appareil respiratoire.

Vers la moitié du XVIIIe siècle, bien avant la découverte de la vitamine C, on mit en évidence la corrélation existant entre le scorbut et l'alimentation de ceux qui en étaient atteints le plus fréquemment. On découvrit que le jus de citron, consommé quotidiennement, faisait disparaître les symptômes de la maladie.

Voilà comment le citron commença à être utilisé (avec de très bons résultats !) pour la prévention et le traitement du scorbut, à une époque où l'on ne connaissait encore rien sur la nature des substances qui en composent le jus.

Aujourd'hui, le scorbut est heureusement une maladie très rare, du moins dans les pays où le niveau de vie est assez élevé, avec une alimentation suffisamment variée. Toutefois, cette maladie est encore assez répandue dans les régions du monde où l'apport en vitamine C ne suffit pas aux exigences de l'organisme, d'autant plus que la consommation de légumes frais a été récemment remplacée par la consommation de produits en conserves. Il est possible, donc, que s'installe un état de carence en vitamine C qui, sans provoquer le scorbut, peut toutefois être responsable de bon nombre de troubles : faible résistance aux maladies courantes dues aux refroidissements, baisse du tonus général, saignement des gencives, etc.

Il est important de rappeler qu'un apport supplémentaire en vitamine C, pour éviter une diminution de cette dernière dans les réserves de l'organisme, est nécessaire également chez les fumeurs, car le tabac réduit le taux de vitamine C, et chez les personnes qui consomment de grandes quantités d'alcool, celui-ci détruisant l'acide ascorbique. Dans ces cas, la quantité de vitamine C nécessaire pour assurer un équilibre du métabolisme est beaucoup plus élevée par rapport aux besoins courants : les valeurs citées précédemment doivent être au moins doublées.

Il existe, en outre, certains médicaments qui, en interaction avec la vitamine C, en réduisent l'activité : il s'agit de l'aspirine, des antibiotiques, des anticonceptionnels (pilule) et des anorexigènes (utilisés chez les obèses pour réduire la sensation de faim).

En cas d'absorption de l'un de ces médicaments, il est nécessaire d'augmenter la consommation d'acide ascorbique afin d'éviter des phénomènes de carence.

Conseils pour la conservation de la vitamine C

L'acide ascorbique, comme la plupart des vitamines, est une substance particulièrement sensible à l'action de la chaleur, de la lumière et du temps. Par conséquent, la vitamine C contenue dans les citrons frais peut être soumise à des altérations considérables si l'on n'observe pas certaines précautions qui concernent surtout la conservation et le traitement à la maison de ces fruits.

Afin de préserver la vitamine C, il est important d'utiliser des fruits parvenus à complète maturité, qui contiennent plus de vitamines, et il est important de réduire au minimum le temps entre la récolte des citrons et leur consommation.

Il convient donc, lorsqu'on achète des citrons, de ne pas attendre trop longtemps avant de les consommer, tout en faisant attention à la façon de les conserver. Une réfrigération appropriée dans des conditions d'humidité contrôlées et à l'abri de la lumière, comme c'est le cas dans les réfrigérateurs à la maison, permet de réduire au minimum la dégradation de la vitamine C.

Enfin, l'acide ascorbique est rendu inactif par la chaleur ; toutefois, lorsqu'il est présent dans l'aliment d'origine, le processus d'altération est réduit grâce à la présence dans l'aliment même d'un facteur de protection de la vitamine C qui en limite la perte.

La cuisson dans l'eau entraîne le passage de la vitamine C dans le liquide de cuisson ; si, comme c'est le cas pour les citrons, cette méthode est utilisée pour préparer des boissons rafraîchissantes, on ne court pas le risque de perdre cette précieuse substance puisque, une fois la préparation terminée, c'est justement l'eau de cuisson qui constituera la boisson.

Pendant la préparation de sirops et de confitures à base de citrons, la perte de vitamine C n'est pas particulièrement élevée, parce que le sucre (saccharose), qui normalement est ajouté, protège l'acide ascorbique de l'oxydation.

Il est nécessaire, toutefois, de consommer les confitures et les sirops dans des temps relativement courts, afin d'éviter l'inactivation de la vitamine C due à l'action du temps. L'idéal est de consommer ces produits dans les deux, trois mois qui suivent leur préparation.

Les parties utilisables du citron

Le jus

En pressant la pulpe du citron, on obtient son jus, un liquide de couleur jaune clair, avec un goût acidulé caractéristique et un léger parfum.

Le degré d'acidité du jus de citron, variant de 65 à 80 grammes d'acide citrique par litre, est différent selon les saisons : il est au plus haut niveau pendant les mois d'hiver (décembre et janvier), minime pendant la période d'été. Dans les citrons conservés, l'acidité diminue avec le temps parce que l'acide citrique se transforme en glucose et en anhydride carbonique.

Le jus de citron constitue un concentré naturel de vitamines, d'acides organiques et d'enzymes : c'est un aliment précieux et un bon médicament.

Ses possibilités d'emploi en cuisine (pour assaisonner, aromatiser, relever un goût, etc.) sont très nombreuses, et tout aussi vaste est la liste de ses propriétés préventives et curatives contre des affections de natures variées. Les indications de la consommation médicinale du jus de citron, à usage interne et externe, sont traitées en détail dans le chapitre « Les vertus du citron ». Dans le présent chapitre, il nous semble utile de donner quelques précisions sur les méthodes pour consommer le jus de citron.

En premier lieu, le jus de cet agrume, à consommer pur ou dilué dans de l'eau ou dans un autre liquide, doit être bu par petites gorgées, en savourant son goût et son arôme.

Il n'y a pas de moment spécifique dans la journée où il est préférable de consommer le jus : tout dépend des effets que l'on veut obtenir ; par exemple, en cas de troubles digestifs, il est préférable de le consommer après les repas ; en cas de calculs rénaux, le matin à jeun, etc.

La plus ancienne des préparations à base de jus de citron est la classique citronnade, boisson désaltérante au goût agréable et aux nombreuses vertus.

Afin d'obtenir une bonne citronnade, il est nécessaire, tout d'abord, d'utiliser des fruits bien mûrs : ce sont les plus juteux et les plus riches en vitamine C.

Exprimer le jus d'un citron devient plus facile si le citron est préalablement immergé pendant quelques secondes dans un récipient d'eau bouillante ou s'il est malaxé énergiquement pendant quelques secondes.

Il existe différentes sortes de citronnades ; mais il faut toujours appliquer la règle consistant à consommer la boisson tout de suite après sa préparation, car, de cette façon, l'efficacité du remède est accrue, le goût est plus agréable et l'arôme plus développé.

Nous allons indiquer certaines recettes pour la préparation de boissons à base de citron : outre celles obtenues en utilisant le jus du fruit, il en existe beaucoup d'autres qui prévoient l'utilisation du citron entier. Ces dernières présentent l'avantage de combiner aux propriétés du jus les propriétés tout aussi utiles de l'écorce. Elles sont toutes faciles à préparer et sont particulièrement indiquées en cas de :

– difficultés digestives ;
– troubles hépatiques ;
– diarrhées ;
– maladies infectieuses ;
– calculs biliaires.

Boisson simple

Mélangez le jus d'un citron avec le jus d'une orange.

Boisson digestive

Mélangez le jus d'un citron avec une quantité égale de jus d'ananas frais.

Citronnade désaltérante

Coupez en petits morceaux un citron entier bien lavé au préalable.

Mixez les morceaux de citron pendant une minute environ et ajoutez un peu d'eau froide.

Citronnade froide

Lavez soigneusement un citron ; percez avec une aiguille propre l'écorce en plusieurs endroits, ensuite, immergez le fruit dans un verre d'eau à peine tiède. Laissez-le macérer pendant vingt minutes jusqu'à ce que l'eau soit refroidie. Enlevez le citron du verre afin de le presser. Ajoutez le jus à l'eau contenue dans le verre.

Citronnade chaude

Mélangez le jus d'un citron avec une quantité égale d'eau bouillante. Sucrez avec une cuillerée à café de miel.

Ou : lavez soigneusement un citron, essuyez-le et coupez-le en morceaux. Couvrez-les avec une tasse et demie d'eau bouillante. Laissez refroidir un peu et sucrez avec du miel.

Une variante de cette recette s'obtient en utilisant un citron dont on a ôté l'écorce et la pellicule blanche sous l'écorce.

Ou encore : faites bouillir pendant cinq minutes un citron coupé en morceaux avec l'écorce. On obtient une boisson à l'aspect mucilagineux, à consommer chaude avec l'ajout d'une cuillerée de miel.

Les feuilles

Même les feuilles du citronnier méritent d'être mentionnées pour leurs propriétés curatives.

Les feuilles sont entières ou légèrement dentées, coriaces et présentent une belle couleur vert intense et un arôme léger. Elles contiennent, en outre, de petites quantités de glucose et d'acide tannique, des matières résineuses, de la pectine et des essences de natures variées. Elles peuvent servir pour la préparation de tisanes aux propriétés calmantes, antispasmodiques et digestives.

Pour conserver leurs propriétés, les feuilles doivent être cueillies directement sur l'arbre et doivent être séchées à l'ombre, dans un endroit frais et sec, mais surtout à l'abri de la lumière ; de cette façon, elles gardent longtemps, outre leurs principes actifs, également tout leur arôme.

Naturellement, si l'on ne dispose pas de feuilles fraîches, on peut avoir recours aux feuilles déjà séchées que l'on trouve dans les herboristeries ; souvent, dans les préparations, elles sont associées aux fleurs d'oranger, puisque les propriétés de ces dernières ressemblent beaucoup à celles des feuilles du citronnier.

La méthode la plus simple pour utiliser les feuilles de citronnier consiste en la préparation d'une infusion.

Mettez dans un récipient des feuilles de citronnier coupées finement et versez dessus de l'eau bouillante. Les doses appropriées sont : 10 grammes de feuilles par litre d'eau. Couvrez le récipient et laissez infuser pendant dix minutes environ. Ensuite, filtrez et sucrez, éventuellement, avec une cuillerée à soupe de miel. Avec un litre d'eau, on prépare environ six tasses de tisane.

Voici les indications de cette infusion :

– manque d'appétit (difficultés digestives) ;

– dyspepsie ;

– atonie des organes digestifs ;

– flatulences ;

– migraines d'origine nerveuse ;

– insomnie ;

– nervosité ;

– toux persistante.

Il est préférable de consommer la tisane bien chaude, tout de suite après sa préparation. En effet, les propriétés des infusions ne durent pas longtemps et elles se révèlent plus efficaces lorsqu'elles sont consommées chaudes.

Il est important de rappeler que, comme pour tous les remèdes à base d'herbes, les doses indiquées doivent être respectées avec une certaine précision et, surtout, que le fait d'augmenter les doses dans le but de rendre la préparation plus efficace peut entraîner une modification totale des effets, jusqu'à obtenir des résultats contraires à ceux escomptés. Il convient donc de ne pas dépasser les quantités indiquées, en gardant bien à l'esprit que 10 grammes de feuilles coupées finement correspondent environ à une cuillerée à soupe.

L'écorce

L'écorce du citron n'est pas un déchet du fruit. Loin de là. Elle a de très bonnes propriétés toniques, antiseptiques et diurétiques. Elle contient en effet une quantité élevée de vitamine C, outre des huiles essentielles, de la pectine, des enzymes et des substances de nature hypoglycémiante.

Lorsque l'on souhaite utiliser l'écorce, il est nécessaire de vérifier si les fruits n'ont pas été traités (voir p. 123). Si l'on n'a pas la possibilité de se procurer des citrons qui n'ont pas été traités avec un produit antimoisissure, il est préférable de renoncer à l'utilisation de l'écorce.

Pour utiliser l'écorce, le citron doit être pelé avec un petit couteau, en veillant à ne pas prélever la partie blanche, qui a un goût amer.

Pour conserver l'écorce, coupez-la en morceaux, et, à l'aide d'une aiguille et de fil, faites une sorte de collier que vous ferez sécher au soleil. Une fois séchés, récupérez les petits morceaux et conservez-les dans une boîte hermétique.

Le même résultat peut être obtenu en faisant sécher l'écorce dans un four tiède et en conservant les morceaux dans des sachets de toile épaisse.

Les morceaux d'écorce fraîche peuvent être conservés au congélateur. Dans le domaine gastronomique, il est possible d'utiliser l'écorce en morceaux ou râpée pour aromatiser de nombreux aliments.

Les salades, les viandes, la farce pour les légumes vont acquérir une fragrance particulière ; les sauces prendront une consistance veloutée, les tartes, les crèmes, les confitures et les gâteaux seront très parfumés.

L'utilisation de l'écorce à des fins thérapeutiques est surtout conseillée sous forme d'infusions, de décoctions, de teintures.

Infusion

Versez un litre d'eau bouillante sur les écorces de deux citrons. Laissez reposer pendant dix minutes, filtrez et sucrez avec du miel ; cette tisane a de bonnes propriétés digestives.

Décoction

Mettez 30 grammes d'écorce de citron dans un litre d'eau.

Portez à ébullition et laissez bouillir pendant dix minutes ; filtrez et sucrez.

Cette préparation est également valable pour les troubles de l'appareil digestif.

Teinture

Mettez 250 grammes d'écorce de citron dans un litre d'alcool à 70°.

Laissez macérer pendant huit jours, filtrez.

Cette préparation, qui a des effets toniques, doit être conservée dans des flacons de verre de couleur foncée.

Le composant fondamental du parfum du citron est l'huile essentielle contenue dans l'écorce, présentant une composition chimique complexe contenant du limonène. La méthode la plus ancienne pour l'extraction de l'huile essentielle, utilisée encore de nos jours dans quelques petites industries, consiste en une pression manuelle.

L'écorce du fruit est divisée en deux à l'aide d'un petit couteau. Les deux parties sont détachées de la pulpe et pliées vers l'extérieur, c'est-à-dire dans le sens opposé au sens d'origine en essayant de les aplatir le plus possible pour créer une certaine compression.

De cette façon, de toutes petites gouttes d'essence apparaissent à la surface de l'écorce ; en passant une éponge propre, on enlève les précieuses gouttes. On répète l'opération avec de nombreux citrons jusqu'à ce que l'éponge soit gorgée d'essence ; on presse ensuite l'éponge et l'on garde le jus dans des récipients appropriés.

L'essence obtenue par cette méthode est de couleur jaune clair et présente un parfum frais caractéristique.

Naturellement, cette méthode demande beaucoup de patience et une certaine habileté, sans compter l'importante quantité d'écorces de citron nécessaires.

Si vous n'avez ni le temps ni l'envie d'essayer, vous pouvez obtenir le jus en pressant avec les mains. Si vous n'avez ni la patience ni le goût pour les préparations ménagères, sachez que vous pourrez trouver le produit déjà prêt dans une herboristerie, selon les quantités désirées.

L'essence de citron est utilisée dans l'industrie pour aromatiser de nombreux produits alimentaires, plus particulièrement les boissons non alcoolisées, les sirops, les produits de pâtisserie et les bonbons.

L'industrie pharmaceutique se sert également de cette essence pour corriger la saveur et l'odeur de nombreuses préparations.

En parfumerie, l'huile essentielle de citron est précieuse parce qu'elle ajoute aux compositions des notes fraîches et légères.

L'essence de citron possède de nombreuses propriétés. Elle est :

– *digestive* : elle stimule le fonctionnement gastrique ;

– *antiseptique* : très utile pour la désinfection de la peau car elle agit non seulement en surface mais aussi en profondeur, en pénétrant dans toute l'épaisseur cutanée ; elle est utilisée dans les traitements de certaines infections de la peau. Diluée avec de l'eau, elle joue parfaitement le rôle de désinfectant environnemental ;

– *balsamique* : dans les affections de l'appareil respiratoire ;

– *excitante* : l'essence de citron a une action pharmacologique sur le système nerveux central, en provoquant, si les doses sont excessives, de l'excitation suivie quelque temps après de somnolence.

Quelques suggestions

• Consommez les citrons qui ont atteint un bon degré de maturation ; en effet, ils contiennent alors une quantité plus élevée de vitamine C, d'acide citrique et de substances qui confèrent aux fruits leurs excellentes propriétés. En outre, les citrons mûrs sont plus savoureux, ils ont plus de goût et sont plus juteux.

• Pour reconnaître les fruits mûrs, il convient d'observer le grain de l'écorce ; pendant la maturation, il devient plus fin.

• Si vous avez la chance de posséder un citronnier, sachez que le meilleur moment pour effectuer la récolte des fruits est le matin, après l'évaporation de la rosée.

• Si les citrons présentent une peau noircie ou brune, n'utilisez que leur jus. Évitez dans tous les cas les citrons qui présentent des signes de moisissure.

• Achetez des citrons frais, c'est-à-dire récoltés depuis peu. Vous pouvez observer leur pédoncule : plus il sera vert, plus le fruit sera frais.

• Pour l'achat des citrons, il convient de porter une attention particulière aux indications figurant sur les caisses ou sur l'emballage des fruits. En effet, pendant la conservation et le stockage des récoltes dans les entrepôts, les citrons sont souvent traités en surface avec des conservateurs variés, dans le but de les protéger de la moisissure. Le composant antimoisissure le plus utilisé est le dyphénil.

La loi impose au commerçant l'obligation de spécifier par des indications le traitement au dyphénil des citrons mis en vente. Si l'on souhaite utiliser l'écorce des citrons, il convient d'acheter des fruits non traités au dyphénil puisque cette substance, toxique pour l'organisme humain, n'est pas soluble dans l'eau et ne peut donc être enlevée par un simple lavage.

En outre, même si la peau est soigneusement râpée, ce qui lui fait perdre par ailleurs une grande partie de ses propriétés, cela ne garantit pas l'élimination du conservateur.

• Si possible, consommez des citrons provenant de culture biologique, où ne sont pas utilisés de composants chimiques (insecticides, antiparasitaires, fertilisants) : toutes ces substances polluent le sol où la plante puise ses éléments nutritionnels, et des résidus toxiques se retrouvent dans la plante même et dans ses fruits.

• Voici une ancienne méthode pour conserver longtemps les citrons, utile lorsqu'on en a beaucoup et que l'on n'a pas le temps ou l'envie de préparer des sirops ou des confitures. Dans une grande boîte, étalez une couche de sable très fin qui aura été préalablement séché au four. Déposez les citrons sur le sable, enroulés un par un dans une feuille de papier en veillant à ce qu'ils ne soient pas en contact les uns avec les autres ; ensuite, recouvrez-les de sable. Répétez l'opération jusqu'à ce que la boîte soit remplie ; cette dernière sera ensuite conservée, bien fermée, dans un endroit sec.

Les vertus
du citron

■ *ACÉTONE*

Altération métabolique caractérisée par la formation de composés appelés corps cétoniques. Celle-ci se manifeste surtout chez les enfants avec l'élimination de ces substances à travers l'appareil urinaire et par l'expiration : l'haleine et les urines prennent une odeur caractéristique de fruit mûr.

Utilisation orale

Faites fondre dans un litre d'eau cinq cuillerées à soupe de miel et deux cuillerées à soupe de bicarbonate de soude. Ajoutez le jus de 2 citrons et mélangez soigneusement. Il convient de consommer cette préparation par petits verres au cours de la journée.

■ *ACIDITÉ GASTRIQUE* (VOIR HYPERCHLORYDRIE)

■ *ACNÉ*

Maladie de la peau qui se manifeste par des boutons puis par des cicatrices.

Utilisation orale

Utilisez le jus de 1 citron sucré avec une cuillerée à café de miel, deux fois par jour pendant quinze jours d'affilée. Il convient de répéter le traitement après dix jours.

Utilisation externe

– Utilisez le jus de 1 citron pour frictionner le visage, le soir, avant le coucher ;

– après vous être lavé le visage le matin, passez rapidement un coton imbibé de jus de citron dilué avec une égale quantité d'eau fraîche. Laissez sécher à l'air ;

– il est également utile de passer sur le visage, une ou deux fois par jour, une gaze propre que vous aurez immergée dans une solution constituée d'un demi-verre d'eau et de dix gouttes d'essence de citron.

■ *APHONIE*

Baisse ou perte totale de la voix, provoquée par une altération inflammatoire du larynx ou par une sollicitation excessive des cordes vocales.

Utilisation orale

Préparez deux fois par jour une tisane en versant dans une tasse d'eau bouillante le jus de 1 citron.

Sucrez avec une cuillerée à café de miel et consommez la boisson tiède.

Utilisation externe

Mélangez un tiers de jus de citron, un tiers de jus de carotte et un tiers d'eau. Faites fondre une cuillerée de miel et utilisez cette préparation pour faire des gargarismes au cours de la journée.

■ *APHTE*

Lésion de la cavité buccale de nature inflammatoire. Les aphtes se présentent comme de petites taches très douloureuses : voir également « Stomatite ».

Utilisation orale

Mélangez le jus de 1 citron avec une quantité égale d'eau froide ; ajoutez une cuillerée de germe de blé. À consommer deux fois par jour pendant quinze jours consécutifs.

Utilisation externe

Rincez-vous la bouche plusieurs fois au cours de la journée avec du jus de citron dilué dans de l'eau froide.

■ ARTÉRIOSCLÉROSE

Lésion des artères, caractérisée par le durcissement des parois et la perte d'élasticité des vaisseaux. Elle provoque de graves troubles circulatoires. La consommation de citron de la façon indiquée ci-dessous est utile comme adjuvant du traitement médical.

Utilisation orale

– Pendant vingt jours consécutifs, prenez trois fois par jour le jus de 2 citrons dilué avec une égale quantité d'eau ;

– ajoutez au jus de 1 citron deux cuillerées à café de jus d'ail. À consommer le matin pendant quinze jours consécutifs.

■ ARTHRITE

Processus inflammatoire qui atteint une ou plusieurs articulations.

En association avec le traitement pharmacologique, le jus de citron, grâce à ses propriétés désintoxicantes et anti-infectieuses, se révèle particulièrement utile dans cette pathologie.

Utilisation orale

Le soin prévoit l'ingestion de différentes quantités de jus de citron. On commence par le jus de 1 citron en augmentant graduellement d'un demi-citron par jour, jusqu'à arriver à 7 citrons ; on diminue ensuite d'un demi-citron par jour. Le jus doit être bu le matin à jeun par petites gorgées. Le traitement est à répéter un mois après.

Ou : mélangez le jus de 1 citron avec le jus et la pulpe de fraises (obtenus en mixant 200 grammes de fraises). Buvez-en un verre par jour, loin des repas.

■ *ARTHROSE*

Affection articulaire de type non inflammatoire, typique de l'âge avancé. Elle peut provoquer des déformations aux articulations intéressées.

Utilisation orale

Comme adjuvant au traitement médical, il est utile de consommer le jus de 2 citrons par jour, dilué avec de l'eau et sucré avec une cuillerée de miel. À boire de préférence le matin à jeun pendant un mois.

Ou : préparez une boisson en mélangeant le jus de 1 citron avec une quantité égale de jus de pomme ; deux fois par jour.

■ *BLÉPHARITE*

Inflammation des paupières.

Utilisation externe

Faites bouillir une petite tasse d'eau. Ajoutez la moitié d'une tasse à café de jus de citron filtré à travers un morceau de toile propre. Instillez dans les yeux quelques gouttes de cette préparation deux ou trois fois par jour.

■ *BRONCHITE*

Processus inflammatoire des bronches. La forme aiguë est le plus souvent de nature infectieuse. La forme chronique est souvent due à des agents physiques, et surtout au tabac, qui irrite la muqueuse bronchique.

La vitamine C contenue dans le citron aide à renforcer les défenses contre les micro-organismes.

Utilisation orale

Citronnade chaude : versez le jus de 1 citron dans une tasse d'eau bouillante et sucrez avec deux cuillerées de miel ; deux fois par jour.

Tisane : versez une tasse d'eau bouillante sur une cuillerée de feuilles coupées d'oranges amères. Laissez infuser pendant dix minutes ; filtrez et ajoutez le jus de 1 citron et deux cuillerées de miel. Buvez la tisane bien chaude.

Utilisation externe

Chauffez un litre d'eau ; quand elle bout, ôtez-la du feu et ajoutez 10 gouttes d'essence de citron. Restez pendant dix minutes le visage au-dessus du récipient en inspirant les vapeurs balsamiques.

■ CALCULS BILIAIRES

Présence de calculs (concrétions de sels minéraux) dans la vésicule biliaire.

Les calculs qui se forment le plus souvent dans la vésicule biliaire sont constitués d'éléments de cholestérol. La consommation de jus de citron est particulièrement indiquée pour ces affections car la vitamine C, dont le citron est riche, aide à faire baisser le taux de cholestérol dans le sang.

Utilisation orale

Mélangez le jus de 1 citron avec une quantité égale de jus d'artichaut.

Deux verres par jour, éventuellement dilués avec un peu d'eau tiède.

■ CALCULS RÉNAUX

Présence de calculs dans l'appareil urinaire. Le jus de citron est indiqué comme adjuvant du traitement médical, surtout en cas de calculs formés par des urates et oxalates.

Utilisation orale

Buvez le jus de 2 citrons, dilué avec un peu d'eau et sucré avec un peu de miel, le matin, à jeun, pendant quinze jours consécutifs.

Décoction : lavez soigneusement 1 citron, coupez-le en petits morceaux et faites-le bouillir pendant dix minutes dans 25 centilitres d'eau ; sucrez avec du miel. Consommez cette décoction une fois par jour pendant dix jours consécutifs.

■ CHOLÉCYSTITE

Inflammation de la vésicule biliaire, organe responsable de la production et de l'émission de bile dans le duodénum.

Utilisation orale

Comme adjuvant du traitement médical, il convient de prendre le jus de citron additionné d'eau chaude et de miel une fois par jour. Ou bien vous pouvez avoir recours à une tisane : versez une tasse d'eau bouillante sur 10 grammes d'écorce de citron émincée. Laissez infuser pendant dix minutes et consommez cette boisson le matin à jeun.

■ CONJONCTIVITE

Processus inflammatoire de la conjonctive de l'œil, de nature infectieuse ou allergique.

Utilisation externe

Faites bouillir une tasse d'eau, enlevez du feu et ajoutez 20 gouttes de jus de citron. Laissez tiédir et utilisez cette préparation pour faire des applications sur les yeux en utilisant des compresses de gaze.

■ *CONSTIPATION*

Problèmes de transit intestinal.

Utilisation orale

Enlevez l'écorce de 1 citron en veillant à éliminer la pellicule blanche ; coupez-la en morceaux et faites bouillir dans 25 centilitres d'eau pendant environ vingt minutes. Éliminez le liquide et répétez l'opération avec la même quantité d'eau, à laquelle vous aurez ajouté une cuillerée à café de miel. Faites sécher l'écorce sur une feuille de papier et mangez-la de préférence loin des repas.

Ou : préparez la veille au soir une infusion en versant un verre d'eau bouillante sur 5 grammes d'écorce. Le lendemain, filtrez et ajoutez le jus de 1 citron ; consommez la boisson à jeun.

■ *CONVALESCENCE*

Pendant la période de convalescence, l'organisme nécessite des quantités particulièrement élevées de vitamines et de sels minéraux afin d'assurer la reprise des fonctions normales de tous les organes. Le citron représente alors une aide valable, surtout pour l'action tonique et antifatigue de la vitamine C.

Utilisation orale

Recettes reconstituantes :

– mixez 200 grammes d'abricots coupés en morceaux avec leur peau, ajoutez le jus de 1 citron et une cuillerée de miel ; à consommer deux fois par jour ;

– mélangez deux pommes coupées en morceaux avec trois cuillerées de flocons d'avoine déjà cuits ; ajoutez en mélangeant un demi-pot de yaourt entier et le jus de 1 citron. Sucrez avec trois cuillerées de miel ; prenez cette préparation deux fois par jour, le matin, au petit déjeuner, et au goûter ;

– mixez deux pêches coupées en morceaux avec le jus de 1 citron, ajoutez une cuillerée de germe de blé et une cuillerée de miel ; buvez-en deux fois par jour ;

– mélangez le jus de 1 citron à celui d'une orange ; ajoutez un jaune d'œuf battu avec deux petites cuillerées de miel ; consommez une fois par jour.

Tonique : mettez dans un récipient 50 grammes d'écorce de citron, fraîche et finement coupée ; ajoutez 200 grammes d'alcool à 50°. Après avoir fermé le récipient, laissez macérer pendant sept jours puis filtrez. Buvez-en un petit verre (environ quatre ou cinq cuillerées à soupe) par jour, après le repas de midi.

■ COR

Durcissement de la peau (kératose) des mains et des pieds, dû à une action mécanique de frottement ou de compression.

Utilisation externe

Avant de vous coucher, prenez un bain de pieds avec de l'eau très chaude (ou gardez pendant quelques minutes dans l'eau chaude la main qui présente le cor), appliquez ensuite sur la zone un petit morceau d'écorce de citron en veillant à bien le fixer. Gardez-le toute la nuit. Répétez ce traitement deux ou trois soirs de suite. Le cor se détachera facilement.

■ DIARRHÉE

L'utilisation du jus de citron est particulièrement indiquée pour ce que l'on appelle les « diarrhées estivales », provoquées par une consommation excessive de boissons glacées ou par le passage brusque d'endroits chauds à des endroits frais (climatisation).

Utilisation orale

Tisane astringente : mélangez au jus de 1 citron une quantité égale d'eau bouillante ; à consommer à raison de deux verres pendant la journée.

Mélangez un tiers de jus de citron avec un tiers de jus de carotte et un tiers d'eau tiède. Consommez-en la quantité d'un demi-verre au cours de la journée.

■ DOULEUR MUSCULAIRE (VOIR MYALGIE)

■ DYSPEPSIE

Difficulté de digestion. Les causes les plus fréquentes sont : ingestion de repas copieux qui surchargent les organes digestifs ; ingestion d'aliments difficiles à digérer (aliments riches en graisses, frits, etc.) ; ingestion trop rapide de nourriture (repas hâtif).

Utilisation orale

Tisane de feuilles : versez une tasse d'eau bouillante sur une pincée (3 grammes environ) de feuilles de citron coupées finement. Laissez infuser pendant dix minutes, filtrez ensuite, puis sucrez avec une cuillerée de miel. À consommer chaude après les repas.

Tisane digestive : préparez une infusion avec 10 grammes d'écorce finement émincée et 15 centilitres d'eau bouillante. Après dix minutes, filtrez et ajoutez le jus d'un demi-citron ; sucrez avec du miel ; consommez-en une tasse après les principaux repas.

Boisson pétillante : mettez le jus de 1 citron dans un verre d'eau, ajoutez une petite cuillerée de bicarbonate de soude, mélangez bien et buvez tout de suite.

Voici un autre remède facile : 5 gouttes d'essence de citron sur un morceau de sucre, tout de suite après le repas.

Liqueur digestive : mettez 150 grammes d'écorce de citron et 150 grammes d'écorce d'orange, bien lavées et séchées, dans un litre d'alcool à 60°. Laissez macérer pendant sept jours puis filtrez ; ajoutez 400 grammes de miel en remuant jusqu'à ce qu'il soit complètement dissous. Mettez cette liqueur en bouteilles et conservez-la dans un endroit frais à l'abri de la lumière. Prenez-en un verre après les repas.

■ ECZÉMA

Altération cutanée caractérisée par des rougeurs et des formations de vésicules et d'écailles.

Utilisation orale

Mélangez le jus de 1 citron avec une quantité égale de jus frais de raisin ; consommez à raison de deux verres par jour.

Il est aussi conseillé de boire le matin à jeun des citronnades tièdes très diluées.

■ ENGELURES

Altérations de la peau qui se présentent sous forme de rougeurs ou d'œdèmes.

Utilisation externe

Prévention : appliquez sur les endroits où des engelures sont en formation une préparation obtenue avec la pulpe écrasée de quelques fraises, mélangée à du jus de citron.

Traitement : effectuez plusieurs fois par jour des frictions avec du jus de citron pur.

◼ *ÉPISTAXIS*

Saignement de nez dû à la rupture de capillaires de la muqueuse. Le citron, riche en vitamine C, exerce une action importante contre la fragilité des petits vaisseaux en facilitant, en outre, les processus de cicatrisation. Il est donc indiqué pour l'utilisation externe et pour l'utilisation orale ; dans ce dernier cas, il contribue également à renforcer les défenses de l'organisme contre les infections des voies respiratoires aériennes (rhume), qui représentent l'une des causes de la rupture des capillaires.

Utilisation orale

Un verre de jus de citron dilué avec du jus d'orange, deux fois par jour.

Utilisation externe

Utilisez du coton imbibé de jus de citron pour tamponner la narine.

◼ *ÉRYTHÈME*

Rougeur de la peau due à des irritations de natures variées (soleil, produits détergents).

Utilisation orale

Décoction : faites bouillir pendant dix minutes dans 25 centilitres d'eau 1 citron coupé en morceaux. Sucrez avec deux cuillerées de miel.

À consommer par cuillerées pendant la journée.

Utilisation externe

Utilisez du jus de citron dilué avec de l'eau froide pour nettoyer délicatement la partie atteinte.

■ *EXCÈS D'ACIDE URIQUE (VOIR HYPERURICÉMIE)*

■ *EXCÈS DE CHOLESTÉROL (VOIR HYPERCHOLESTÉROLÉMIE)*

■ *EXCORIATION (BLESSURE SUPERFICIELLE)*

Utilisation externe

Désinfectez la zone avec une solution obtenue en versant le jus de 1 citron dans 15 centilitres d'eau déminéralisée ou bien d'eau naturelle qui aura été portée à ébullition.

Un très bon désinfectant s'obtient en ajoutant 10 gouttes d'huile essentielle de citron à 10 centilitres d'eau déminéralisée.

■ *GINGIVITE*

Inflammation des gencives de nature infectieuse, ou due à des irritations.

Utilisation externe

Deux fois par jour, massez doucement les gencives avec du coton imbibé de jus de citron dilué en exerçant un petit mouvement circulaire.

Frottez avec un morceau d'écorce de citron la racine des dents pour renforcer les gencives.

■ *GLOSSITE*

Inflammation de la langue.

Utilisation externe

Faites des rinçages de bouche plusieurs fois par jour avec une infusion de feuilles fraîches de plantain (4 ou 5 grammes) dans une tasse dans laquelle vous aurez versé le jus d'un demi-citron.

■ *GOUTTE*

Elle est provoquée par un excès d'acide urique qui se dépose au niveau des articulations en provoquant des crises douloureuses intenses.

Utilisation orale

Le soir, en adjuvant du traitement médical, prévoyez la consommation de quantités croissantes au début, puis décroissantes, de jus de citron ; commencez par le jus de 1 citron et augmentez d'un demi-citron par jour, jusqu'à atteindre la quantité de 8 citrons. Diminuez ensuite d'un demi-citron par jour. Le jus peut être consommé dilué avec de l'eau et sucré.

Mélangez 20 centilitres de jus de raisin frais avec le jus de 1 citron ; buvez-en un verre par jour pendant vingt jours consécutifs.

■ *GRIPPE*

Utilisation orale

Citronnade chaude : pelez soigneusement 1 citron, coupez la pulpe en morceaux et laissez-la pendant dix minutes dans une tasse d'eau bouillante. Sucrez avec deux cuillerées à café de miel, buvez-en deux fois par jour.

Coupez en petits morceaux 1 citron entier bien lavé et séché ; ensuite, mettez les morceaux dans une bouteille de vin blanc. Laissez la bouteille au soleil pendant sept jours, filtrez et mettez de nouveau en bouteille en veillant à bien la boucher. En cas de grippe, il convient de consommer un verre de cette boisson une fois par jour après l'avoir bien réchauffée pour en augmenter l'efficacité.

■ *HOQUET*

Utilisation orale

Un morceau de sucre imbibé de jus de citron ou bien deux cuillerées de jus non dilué.

■ *HYPERCHLORYDRIE*

Augmentation de l'acidité des sucs gastriques, due à une augmentation excessive d'acide chlorhydrique, qui se manifeste par des brûlures d'estomac.

Utilisation orale

Mélangez le jus de 1 citron avec un litre et demi d'eau. Cette boisson favorise le développement d'alcaloïdes naturels et doit être consommée à raison de quelques verres pendant la journée.

■ *HYPERCHOLESTÉROLÉMIE*

Augmentation au-delà des valeurs admises du cholestérol plasmatique.

Utilisation orale

La consommation de jus de citron frais, à raison de 3 citrons par jour, est fort conseillée dans ce cas, car la vitamine C contribue à faire baisser le taux de cholestérol. Le jus peut être bu à tout moment de la journée, pur ou dilué dans de l'eau.

■ *HYPERTENSION*

Augmentation de la pression sanguine. Le traitement au citron constitue un complément utile des soins médicaux.

Utilisation orale

Consommez, loin des repas, 3 citrons par jour, en les mangeant en quartiers, comme des oranges, pendant vingt jours de suite.

Ajoutez au jus de 1 citron une quantité égale d'eau et deux cuillerées à café de jus d'ail ; consommez deux fois par jour pendant quinze jours.

■ *HYPERURICÉMIE*

Augmentation des valeurs d'acide urique.

Utilisation orale

Dans ce cas, on conseille la consommation de 150 grammes de jus de citron mélangé à une quantité égale de jus de fraise et de jus de pêche, qu'il convient de consommer au cours de la journée.

■ *INAPPÉTENCE*

Manque d'appétit dû à des causes diverses.

Utilisation orale

Tisane : laissez infuser une pincée de feuilles de citron dans 20 centilitres d'eau bouillante pendant dix minutes ; filtrez, ajoutez trois gouttes d'essence de citron et sucrez. Consommez deux fois par jour avant les principaux repas.

Ou : commencez le repas avec une tasse de bouillon chaud dans lequel vous aurez versé le jus d'un demi-citron.

Ou : coupez en morceaux 2 citrons entiers, recouvrez-les d'un litre de vin blanc ; mettez la boisson dans un récipient bien fermé et buvez-la par petits verres avant les repas, en guise d'apéritif.

■ *INDIGESTION*

Utilisation orale

Buvez le jus de 1 citron non dilué et, tout de suite après, un verre d'eau dans lequel vous aurez fait dissoudre une cuillerée de bicarbonate de soude.

■ *INSOMNIE*

Utilisation orale

Tisane : préparez une infusion avec une pincée de feuilles de citron et une pincée de fleurs d'oranger ; après dix minutes, filtrez et sucrez avec du miel. La tisane, à consommer bien chaude le soir avant de dormir, sera plus efficace si les feuilles et les fleurs sont fraîches.

■ *JAMBES (FATIGUE)*

Utilisation externe

Des frictions avec du jus de citron pur sont très utiles. Ces frictions doivent être effectuées en massant les jambes par des mouvements de bas en haut.

■ *MALADIES INFECTIEUSES*

Maladies dues à l'action de micro-organismes (bactéries, virus, etc.). Le citron joue un rôle important dans la prévention et le soin de ces affections, grâce aux propriétés anti-infectieuses de la vitamine C.

Utilisation orale

Mélangez 150 grammes de jus de citron frais, une cuillerée de germe de blé et deux cuillerées de miel ; à boire une fois par jour.

Recette vitaminique : mélangez une pomme et une pêche coupées en morceaux, un petit pot de yaourt entier, le jus de 1 citron et une cuillerée de miel.

■ *MAUVAISE HALEINE*

Les causes peuvent en être variées : troubles de l'appareil digestif (digestion difficile), caries dentaires, infection des voies respiratoires aériennes (rhume, pharyngite).

Utilisation externe

Préparez une infusion en versant une tasse d'eau bouillante sur une cuillerée à soupe de feuilles de persil hachées. Laissez reposer pendant dix minutes puis filtrez. Une fois l'infusion refroidie, ajoutez une quantité égale de jus de citron et utilisez ce produit pour vous rincer la bouche.

■ *MÉTÉORISME*

Présence de gaz dans l'intestin.

Utilisation orale

Faites infuser 5 grammes d'écorce de citron en petits morceaux dans 20 centilitres d'eau bouillante pendant dix minutes. Filtrez et buvez-en une tasse le matin et une tasse le soir.

■ *MIGRAINES D'ORIGINE DIGESTIVE*

Utilisation orale

Buvez une tasse de café bouillant non sucré dans laquelle vous aurez ajouté le jus de 1 citron.

■ *MIGRAINES D'ORIGINE NERVEUSE OU ÉMOTIONNELLE*

Utilisation orale

Tisane de feuilles : mettez dans une tasse une pincée (environ 3 grammes) de feuilles de citron finement coupées ; ajoutez 25 centilitres d'eau bouillante. Laissez infuser pendant dix minutes puis filtrez ; buvez-en jusqu'à trois tasses par jour.

Tisane calmante : préparez une infusion de fleurs d'oranger (5 grammes dans 20 centilitres d'eau pendant dix minutes), filtrez, ajoutez le jus de citron et sucrez avec du miel.

Utilisation externe

Appliquez sur le front quelques compresses de gaze imbibées de jus de citron dans lequel vous aurez dissous du sel de cuisine.

■ *MYALGIE*

Douleur musculaire.

Utilisation externe

Il convient de masser la partie douloureuse avec un tissu chaud imbibé de jus de citron pur.

On peut aussi mélanger une cuillerée de glycérine avec 10 gouttes d'essence de citron. Utilisez cette préparation pour frictionner la partie douloureuse.

■ *NAUSÉE*

Utilisation orale

Mâchez bien un demi-citron coupé en morceaux ou encore versez une tasse d'eau bouillante sur 1 citron coupé en morceaux et buvez-la lentement.

■ *NÉVRALGIE*

Manifestation douloureuse au niveau d'un nerf.

Utilisation externe

Comme pour les myalgies, les massages effectués avec un tissu chaud imbibé de jus de citron sont très efficaces ; on peut également utiliser une cuillerée de glycérine avec 10 gouttes d'essence de citron.

■ *OBÉSITÉ*

Augmentation du poids corporel dû à une accumulation de tissu adipeux.

Utilisation orale

Décoction : mettez 4 citrons coupés en morceaux dans un litre d'eau ; faites bouillir pendant vingt minutes. Laissez refroidir, filtrez ensuite et conservez cette préparation dans une bouteille fermée ; buvez-en un verre avant les repas.

■ *OTITE*

Inflammation de l'oreille.

Utilisation externe

Mettez quelques gouttes de jus de citron à l'intérieur de l'oreille ; très utile pour désinfecter.

■ *PARASITES INTESTINAUX (OXYURES)*

Utilisation orale

Décoction : faites bouillir pendant quinze minutes 1 citron coupé en morceaux dans 30 centilitres d'eau. À consommer par cuillerées au cours de la journée.

■ *PHARYNGITE*

Inflammation du pharynx d'origine infectieuse.

Utilisation externe

Il convient de faire deux fois par jour des gargarismes avec du jus de citron pur ou dilué avec une égale quantité d'eau froide, dans laquelle vous aurez fait fondre une cuillerée à café de miel.

Les badigeonnages avec du coton imbibé de jus de citron non dilué se révèlent aussi très efficaces.

Une autre possibilité consiste à utiliser des compresses de sel et de jus de citron en application externe.

■ *PIQÛRES D'INSECTES*

Utilisation externe

Frottez la zone avec une rondelle de citron : cela sert à calmer l'irritation.

■ *RHUMATISME ARTICULAIRE AIGU*

Maladie d'origine infectieuse qui atteint les articulations, surtout chez les sujets jeunes ; dans de nombreux cas, le muscle cardiaque est également impliqué par la suite.

Le citron a été utilisé avec succès dans le traitement de cette pathologie, mais toujours parallèlement à des soins pharmacologiques.

Utilisation orale

Le traitement consiste à prendre le premier jour le jus de 1 citron, en augmentant ensuite la dose quotidienne de 1 citron par jour, pour arriver à un total de 10 fruits.

On réduit ensuite la quantité de 1 citron par jour.

■ *RHUME*

Utilisation orale

Mettez une cuillerée de miel dans le jus de 1 citron ; ajoutez une demi-tasse d'eau bouillante, buvez bien chaud plusieurs fois selon les besoins.

Utilisation externe

Faites bouillir un litre d'eau ; retirez du feu et ajoutez 10 gouttes d'essence de citron. Gardez le visage au-dessus de la casserole pendant dix minutes environ en respirant les vapeurs.

■ *STOMATITE*

Inflammation de la muqueuse buccale due à différentes causes : infection microbienne, irritation provoquée par la brosse à dents, etc. Elle peut être associée à des aphtes.

Utilisation externe

Mélangez 10 centilitres de jus de citron avec 15 centilitres d'eau froide où vous aurez fait fondre une cuillerée de miel ; utilisez cette préparation pour faire des rinçages prolongés de la cavité buccale, de deux à trois minutes. À répéter trois fois par jour.

Utilisation orale

Consommez trois fois par jour de la pomme râpée arrosée de jus de citron.

■ *STRESS*

Par ce terme on indique des situations de fatigue psychique qui peuvent se manifester par de l'anxiété, de la tension, de l'irritabilité, etc.

Utilisation orale

Tisane calmante : préparez une infusion avec une demi-cuillerée de feuilles de citronnier coupées finement et une cuillerée de fleurs d'aubépine dans une tasse d'eau bouillante. Après dix minutes, filtrez et consommez cette tisane aromatique en y ajoutant du miel, à raison de trois tasses par jour.

■ *TOUX GRASSE (SUIVIE D'EXPECTORATION) (VOIR BRONCHITE)*

■ *TOUX SÈCHE*

Utilisation orale

Mettez une pincée de feuilles de citronnier dans une tasse ; couvrez-la d'eau bouillante et laissez infuser pendant dix minutes. Filtrez et ajoutez une bonne quantité de miel, qui a une action apaisante.

■ *TROUBLES CIRCULATOIRES*

Le citron est utile pour les affections de l'appareil circulatoire, puisqu'il protège la structure des vaisseaux sanguins grâce à l'action de la vitamine C et contribue à en maintenir l'élasticité avec la vitamine PP.

Utilisation orale

Préparez une boisson composée de jus de persil et de jus de citron ; diluez-la avec un peu d'eau tiède. Un verre par jour pendant quinze jours consécutifs.

Conseils pour la beauté...

... Du visage

Crème nourrissante pour peaux grasses

Mélangez une cuillerée à soupe de yaourt avec deux petites cuillerées à café de jus de citron. Appliquez cette préparation sur le visage en massant légèrement de façon que la crème soit absorbée par la peau. Ne rincez pas.

Démaquillant pour peaux grasses

Afin de nettoyer à fond une peau grasse présentant des boutons et des points noirs, préparez une lotion en mélangeant une tasse d'eau claire et dix gouttes d'essence de citron. Utilisez ce produit après avoir lavé la peau, en passant plusieurs fois un coton imbibé de lotion sur le visage.

Ou bien frictionnez-vous le visage, le soir, avec du jus de citron non dilué, et laissez agir pendant toute la nuit : le jus de citron nettoie les pores en profondeur.

Démaquillant pour peaux normales

Pour une peau normale, une très bonne action détergente est obtenue en mélangeant une cuillerée de lait démaquillant habituel avec cinq ou six gouttes de jus de citron. Étalez cette préparation en massant soigneusement, ensuite, nettoyez-vous le visage avec un coton propre.

Si vous avez terminé le démaquillant, vous pouvez mélanger trois volumes de lait tiède et un volume de jus de citron. Passez-vous sur le visage déjà nettoyé un coton imbibé de cette préparation : cela enlèvera toute trace d'impuretés.

Démaquillant pour peaux sensibles

Afin de nettoyer délicatement une peau sensible, faites bouillir pendant quinze minutes une pomme coupée en morceaux, filtrez et mélangez deux volumes de cette solution avec un volume de jus de citron.

Utilisez cette préparation pour vous frictionner légèrement le visage avec un disque de coton.

Masque adoucissant pour tout type de peau

Mixez pendant quelques secondes la pulpe d'un abricot avec une cuillerée à café de lait. Ajoutez une cuillerée à café de jus de citron, mélangez bien et appliquez cette préparation sur le visage bien nettoyé. Après quinze minutes, rincez abondamment avec de l'eau tiède.

Masque astringent pour peaux à pores dilatés

Prenez une tomate mûre et plutôt charnue ; après l'avoir pelée, coupez-la en deux, éliminez les pépins et la plus grande partie du jus.

Écrasez la pulpe à la fourchette, ajoutez deux petites cuillerées de jus de citron et appliquez le produit sur les endroits du visage concernés. Laissez agir pendant dix minutes, puis rincez à l'eau claire.

Masque hydratant pour peaux grasses

Écrasez à la fourchette la pulpe d'une petite pêche et ajoutez deux petites cuillerées de jus de citron. Étalez la préparation sur le visage à l'aide d'une gaze propre, de façon que le masque ne coule pas. Après vingt minutes, rincez abondamment à l'eau claire.

Masque hydratant pour peaux normales ou sensibles

Pour les peaux normales ou sensibles, il convient de modifier la composition du masque hydratant en réduisant la quantité de jus de citron à une seule cuillerée à café, en y ajoutant une cuillerée à café de crème fraîche.

Masque nourrissant pour peaux normales ou sensibles

Dans un petit récipient, délayez une cuillerée à soupe de farine de riz avec une cuillerée à soupe d'huile d'olive vierge extra et deux cuillerées à café de jus de citron. Mélangez bien jusqu'à l'obtention d'une crème onctueuse que vous étalerez sur le visage, en la laissant agir pendant vingt minutes. Rincez à l'eau claire ; enfin, passez rapidement sur le visage un coton imbibé de lotion tonique (voir plus bas).

Masque pour améliorer le teint

Mélangez la pulpe de quelques fraises avec une cuillerée à café de jus de citron et une autre de lait. Cette préparation doit agir sur le visage pendant quinze minutes.

Masque éclaircissant pour tout type de peau

Ajoutez une cuillerée à café de miel à une autre de jus de citron ; mélangez bien, étalez ensuite sur le visage en massant légèrement. Après quinze minutes, rincez à l'eau tiède.

Tonique

Il est possible d'obtenir un tonique léger et rafraîchissant en mélangeant de l'eau minérale avec du jus de citron.

Pour les peaux grasses les doses sont : un volume de jus de citron et un volume d'eau minérale ; pour les peaux normales, un volume de jus et deux volumes d'eau ; pour les peaux sensibles, un volume de jus et trois volumes d'eau. Versez la solution dans un petit flacon doté d'un doseur spray (les flacons à parfum sont tout à fait indiqués, pourvu qu'ils aient été soigneusement lavés au préalable) et pulvérisez le tonique sur le visage parfaitement nettoyé. Laissez sécher à l'air.

Traitement antirides

Après vous être lavé le visage, le soir, étalez sur les rides un peu d'huile d'olive vierge extra, mélangée à quelques gouttes de jus de citron. Massez légèrement jusqu'à ce que la préparation soit complètement absorbée. Les vitamines contenues dans le jus de citron et dans l'huile d'olive vierge extra exercent une action revitalisante et aident à estomper les ridules d'expression.

Traitement des éphélides

Pour estomper les éphélides (taches de rousseur), il convient d'effectuer des frictions avec du jus de citron dilué avec 50 % d'eau.

... Des cheveux

Cheveux brillants et soyeux

Pour conserver des cheveux brillants et soyeux, rincez-les après les avoir lavés avec de l'eau mélangée à du jus de citron (le jus de deux citrons dilué dans deux litres d'eau). De cette façon, vous restituez aux cheveux leur valeur d'acidité naturelle.

Frictions antipelliculaires

Pour réduire les pellicules, frictionnez une ou deux fois par semaine le cuir chevelu avec du jus de citron mélangé à une égale quantité d'infusion d'ortie (50 grammes de feuilles d'ortie dans 25 centilitres d'eau bouillante pendant dix minutes).

Éclaircir des cheveux blond-châtain

Pour éclaircir les cheveux blond-châtain en obtenant un effet nuancé et naturel, préparez une tasse de jus de citron non dilué.

Après avoir lavé les cheveux, séchez-les légèrement au sèche-cheveux ; ensuite, sur les cheveux encore humides, passez sur certaines mèches du coton, sans le presser, que vous aurez bien imbibé de jus de citron. Faites sécher au soleil.

... Des dents

Pour des dents plus saines

Pour renforcer les dents, frottez-vous chaque jour les gencives avec une écorce de citron.

Pour un sourire éclatant

Pour rendre plus éclatant votre sourire, mélangez une cuillerée de bicarbonate de soude avec une cuillerée de jus de citron : utilisez cette préparation comme un dentifrice, en vous brossant soigneusement les dents.

... Du corps

Bronzage naturel

Pour un bronzage naturel, mélangez une quantité de jus de citron avec une quantité double d'huile d'olive vierge extra. Mettez dans un flacon et agitez bien : c'est un très bon produit bronzant.

Bain émollient

Pour un bain parfumé émollient, ajoutez une tasse de lait tiède à l'eau avec quinze gouttes d'essence de citron.

Bain rafraîchissant

Pour un bain rafraîchissant et parfumé, utile pour les peaux grasses, versez un litre d'eau bouillante sur cinq citrons coupés en morceaux. Laissez refroidir et ajoutez la préparation à l'eau du bain.

Tonique

Pour tonifier la peau du corps, versez dans une petite tasse d'huile d'olive vierge extra dix gouttes d'essence de citron. Étalez un peu de ce produit sur les jambes, les bras et le corps, puis, avec des mouvements énergiques allant du bas vers le haut, massez-vous pendant quelques minutes, en veillant à bien faire pénétrer cette préparation. Relaxez-vous pendant quinze minutes et, enfin, prenez un bain pas trop chaud.

Traitement contre les piqûres de moustiques

Afin d'éviter les piqûres de moustiques, qui sont non seulement gênantes mais inesthétiques, frottez sur les bras et les jambes un demi-citron ; vous serez, en outre, agréablement parfumé.

Traitement pour adoucir les coudes

Pour avoir des coudes doux, frottez-les souvent avec de petites tranches de citron ou avec une crème obtenue en mélangeant une cuillerée à soupe de miel avec une demi-cuillerée à soupe de jus de citron.

... Des mains

Crème pour mains gerçées

Quand vos mains sont gercées, préparez une crème en mélangeant une cuillerée à soupe de glycérine et une autre de jus de citron. Massez-vous les doigts et le dos des mains avec cette préparation : en répétant souvent ce traitement, vous obtiendrez une peau douce et veloutée. Si vous n'avez pas de glycérine, vous pouvez utiliser, avec le jus de citron, un peu d'huile d'olive vierge extra.

Solution pour les taches de nicotine

Pour enlever les taches de nicotine sur les doigts, dissolvez une demi-cuillerée à café de sel fin dans le jus d'un demi-citron et frictionnez longuement la peau avec du coton imbibé de cette solution.

Traitement pour adoucir les mains

Pour avoir des mains douces et blanches, frictionnez-les souvent avec du jus de citron non dilué ou frottez-les directement avec un demi-citron.

Traitement pour les ongles fragiles

Si vous avez les ongles fragiles, qui cassent facilement, gardez-les immergés pendant quelques minutes dans un petit récipient avec de l'huile d'olive vierge extra et du jus de citron en proportions égales. Répétez l'opération deux ou trois fois par semaine.

Usages insolites du citron

Le citron est utile dans bon nombre d'autres cas.

• Pour enlever des taches de thé et de fruits sur les tissus : mettez la partie de tissu taché dans un bol contenant du jus de citron et laissez tremper pendant une demi-heure avant de passer au lavage normal.

• Pour enlever des taches d'encre : mélangez deux cuillerées de lait à deux cuillerées de jus de citron ; versez cette préparation sur le tissu taché en la laissant agir pendant environ une heure avant le lavage.

• Pour faire briller des sacs et des objets en cuir verni : versez quelques gouttes de jus de citron et frottez avec un tissu doux.

• Pour nettoyer des objets en argent : utilisez du jus de citron non dilué, frottez avec une éponge puis rincez soigneusement.

• Pour enlever les dépôts de café et de thé des cafetières, théières et tasses : versez dans les récipients du jus de citron pur. Laissez agir pendant quelques heures. Avant de laver, frottez avec une petite brosse en insistant sur les traces les plus foncées.

• Pour garder la brillance des tissus en soie. Après les avoir lavés avec des détergents neutres, mettez dans l'eau de rinçage le jus d'un citron.

• Pour empêcher les fruits et les légumes coupés en morceaux de noircir avant d'être consommés : aspergez-les avec du jus de citron.

• Pour rendre potable une eau « douteuse » : ajoutez une bonne quantité de jus de citron et laissez agir pendant quinze minutes.

• Pour nettoyer les objets en ivoire : frottez délicatement avec du coton imbibé de jus de citron mélangé à du sel.

• Pour enlever l'odeur de tabac d'un local : après avoir ouvert les fenêtres pendant quelques minutes, jetez dans la cheminée l'écorce d'un citron ; faute de cheminée, brûlez-la dans un petit récipient en métal.

• Pour éviter les inconvénients des mites : mettez dans les armoires de l'écorce de citron enveloppée dans des morceaux de toile.

• Pour estomper les taches de rouille sur les tissus : frottez-les avec du jus de citron pur.

Recettes de cuisine

Soupes et entrées

Soupe de pâtes froides

Ingrédients pour 4 personnes

- *3 pommes de terre*
- *3 carottes*
- *3 courgettes*
- *2 navets*
- *2 côtes de céleri*
- *100 g de pâtes de type macaronis courts*
- *5 cuillerées à soupe d'huile d'olive vierge extra*
- *Le jus de 1 ½ citron*
- *1 branche de persil*
- *5 ou 6 feuilles de menthe*
- *Sel*

• Mettez les légumes coupés en morceaux dans une casserole. Couvrez-les d'eau froide, salez légèrement, et faites cuire à feu doux, en couvrant le récipient. Ajoutez les pâtes et, avant la fin de la cuisson, ôtez du feu. Laissez refroidir. À part, mélangez le jus de citron avec l'huile et les feuilles de persil et de menthe finement ciselées. Versez cette préparation sur la soupe froide, juste avant de servir.

Soupe de riz au citron

Ingrédients pour 4 personnes
- *2 l de bouillon de poulet*
- *120 g de riz*
- *2 œufs*
- *Le jus de 1 citron*
- *Sel*

• Faites cuire le riz dans le bouillon de poulet dans lequel vous aurez ajouté une pincée de sel. Dans une autre casserole, mélangez les jaunes d'œufs et un blanc avec le jus de citron, et une ou deux cuillerées à soupe de bouillon, de façon à obtenir un composé homogène. Montez en neige le blanc d'œuf restant et ajoutez-le au mélange. Quand le riz est presque cuit, versez-le avec le bouillon sur les œufs en remuant soigneusement pour éviter que les œufs ne se grumellent. Laissez cuire encore quelques minutes à feu très doux.

Soupe parfumée

Ingrédients pour 4 personnes
- *3 pommes de terre*
- *3 carottes*
- *200 g de petits pois*
- *200 g de riz*
- *2 côtes de céleri*
- *1 oignon*
- *2 gousses d'ail*
- *5 tomates mûres*
- *Le jus de 1 citron*
- *4 cuillerées d'huile d'olive vierge extra*
- *Une dizaine de feuilles de basilic*
- *Quelques feuilles de persil*
- *Sel*

• Faites revenir légèrement l'oignon coupé grossièrement et l'ail en petits morceaux avec une cuillerée à soupe d'huile. Ajoutez les pommes de terre, les carottes, le céleri coupé en morceaux et les petits pois. Versez sur les légumes de l'eau bouillante en quantité suffisante, salez et laissez cuire sans couvrir. Quand les légumes seront à mi-cuisson, ajoutez le riz. Entre-temps, écrasez à la fourchette les tomates, ajoutez le jus de citron, l'huile, les feuilles de basilic ciselées et le persil ; mélangez bien pour obtenir une sauce homogène. Quand le riz sera cuit, versez la soupe dans la soupière et assaisonnez-la avec cette sauce. Servez chaud.

Salade de pâtes

Ingrédients pour 4 personnes
- *280 g de pâtes cuites (vous pouvez utiliser un reste de pâtes pourvu qu'elles soient sans sauce)*
- *4 œufs durs*
- *4 tomates*
- *1 poivron jaune doux*
- *200 g d'olives dénoyautées*
- *4 feuilles de laitue*
- *5 cuillerées à soupe d'huile d'olive vierge extra*
- *Le jus de 1 citron*
- *3 filets d'anchois à l'huile*
- *Quelques feuilles de basilic et de persil*
- *Sel*

• Dans une soupière, mélangez les pâtes avec les tomates et le poivron coupés en morceaux, les olives et 3 œufs coupés en lamelles. À part, préparez une sauce avec l'huile, le jus de citron, les filets d'anchois émincés, deux pincées de basilic, une pincée de persil et un peu de sel. Disposez la salade de pâtes sur les feuilles de laitue lavées et parfaitement séchées, garnissez avec l'œuf restant coupé en quartiers.

Viandes et poissons

Steak aromatique

Ingrédients pour 4 personnes
- *4 steaks de bœuf*
- *50 g de beurre*
- *Le jus de 1 citron*
- *1 cuillerée à soupe de persil haché*
- *Sel, poivre*

• Travaillez le beurre avec une cuillère jusqu'à obtention d'une crème onctueuse ; ajoutez du sel, du poivre et du persil puis incorporez petit à petit le jus du citron en remuant sans arrêt ; cuisez la viande sur le gril.

• Dès qu'elle est cuite, versez une cuillerée de sauce sur chaque steak et servez aussitôt.

Escalopes au citron

Ingrédients pour 4 personnes
- *4 escalopes de veau*
- *40 g de beurre*
- *2 cuillerées de farine*
- *Le jus de 1 ½ citron*
- *1 cuillerée à soupe de persil haché*
- *Sel, poivre*

• Farinez légèrement les escalopes de veau et faites-les dorer dans le beurre ; ôtez-les du feu, salez et poivrez-les. Ajoutez au jus de cuisson le jus de citron, le persil et, si nécessaire, deux ou trois cuillerées à soupe d'eau bouillante. Mélangez bien et remettez la poêle sur le feu en laissant cuire encore pendant quelques minutes, sans couvercle.

Moules au citron

Ingrédients pour 4 personnes
- *1 kg de moules*
- *Le jus de 2 citrons*
- *5 cuillerées à soupe d'huile d'olive vierge extra*
- *2 cuillerées à soupe de persil haché*
- *2 gousses d'ail pressées*
- *Sel, poivre*

• Mettez dans une casserole profonde les moules soigneusement nettoyées avec un tissu humide et passées sous un jet d'eau claire. Ajoutez l'huile, le persil, l'ail et le jus de citron ; salez légèrement et poivrez. Couvrez la casserole et mettez sur le feu. Quand les moules s'ouvrent, baissez la flamme et laissez cuire encore pendant une minute ou deux. Ôtez du feu et servez immédiatement les moules arrosées de leur jus.

Daurade au four

Ingrédients pour 4 personnes
- *2 daurades fraîches*
- *4 cuillerées d'huile d'olive vierge extra*
- *Le jus de 2 citrons*
- *3 gousses d'ail*
- *2 feuilles de laurier*
- *2 cuillerées à soupe de persil haché*
- *Sel, poivre*

• Préparez une marinade avec l'huile, le jus de citron, l'ail, le persil haché, les feuilles de laurier ciselées, le sel et le poivre. Laissez les daurades dans la marinade pendant au moins une heure. Ensuite, déposez-les sur un plat allant au four et couvrez-les avec le jus. Mettez-les à four chaud pendant presque une demi-heure.

Bar au citron

Ingrédients pour 4 personnes
- *4 tranches de bar de 150 g chacune*
- *4 citrons*
- *2 cuillerées à soupe d'huile d'olive vierge extra*
- *Sel*

• Lavez et séchez bien les citrons ; coupez-les en rondelles plutôt épaisses. Recouvrez le fond du plat de rondelles de citron, déposez-y les tranches de bar et, enfin, sur le bar, mettez les rondelles de citron restantes. Couvrez le plat et passez à four chaud pendant 20 minutes environ.

• Servez le poisson arrosé du jus de cuisson ; ajoutez l'huile et un peu de sel. C'est un plat très délicat et facile à digérer.

Légumes

Courgettes en salade

Ingrédients pour 4 personnes
- *4 courgettes*
- *1 pot de yaourt*
- *Le jus de 1 citron*
- *1 poignée de feuilles de menthe*
- *Sel*

• Lavez les courgettes, séchez-les et coupez-les en lamelles très fines, salez légèrement. Ajoutez au yaourt le jus de citron et les feuilles de menthe finement ciselées. Assaisonnez les courgettes avec cette sauce et servez-les froides.

Salade gourmande

Ingrédients pour 4 personnes
- *150 g de parmesan*
- *300 g de champignons*
- *3 cuillerées d'huile d'olive vierge extra*
- *Le jus de 1 citron*
- *Sel, poivre*

• Coupez les champignons et le fromage en lamelles, assaisonnez avec l'huile et le jus de citron mélangés, ajoutez une pincée de sel et du poivre à volonté.

Desserts

Gâteau à la crème

Ingrédients pour 4-6 personnes
- *4 tranches de génoise*
- *4 œufs*
- *200 g de sucre de canne*
- *100 g de beurre*
- *5 citrons*
- *1 cuillerée d'amandes grillées*

• Avec une cuillère, travaillez les œufs et le sucre de canne en ajoutant petit à petit le beurre et le jus des citrons, jusqu'à obtention d'une crème onctueuse. Dans un plat beurré, disposez les tranches de génoise, couvrez-les avec la crème et saupoudrez avec l'écorce râpée de deux citrons. Mettez au four à température moyenne et faites cuire pendant trente minutes environ. Laissez refroidir et servez froid après avoir parsemé le dessus avec les amandes effilées et grillées.

Tarte parfumée au citron

Ingrédients pour 6-8 personnes
- *200 g de farine*
- *200 g de miel*
- *2 œufs*
- *100 g de beurre*
- *Le jus et l'écorce de 2 citrons*
- *1 sachet de levure*

• Mélangez les œufs légèrement battus avec le miel et ajoutez petit à petit la farine et la levure mélangées. Incorporez ensuite le beurre en petits morceaux (il doit avoir été sorti du réfrigérateur au moins une heure à l'avance) et mélangez la préparation avec le jus des citrons. En dernier, ajoutez l'écorce râpée. Versez dans un moule beurré et saupoudré de farine, faites cuire à four chaud pendant 30 à 40 minutes.

Entremets à la cuillère

Ingrédients pour 4 personnes
- *2 citrons*
- *3 œufs*
- *180 g de sucre de canne*
- *150 g d'amandes effilées*
- *2 cuillerées à soupe de rhum*

• Faites cuire dans un peu d'eau les citrons pendant 1 h 30 sans couvrir. Quand ils sont complètement cuits, coupez-les en morceaux, éliminez les pépins et mixez. Séparez les jaunes des blancs d'œufs. Battez les jaunes avec le sucre et le rhum, ajoutez les citrons mixés et les amandes effilées, en mélangeant soigneusement. Enfin, ajoutez les blancs montés en neige ferme. Versez cette préparation dans un moule beurré et faites cuire à four moyen pendant 40 minutes environ.

• Ce dessert peut être consommé tiède ou froid.

Tarte au citron

Ingrédients pour 6-8 personnes

- *250 g de farine*
- *150 g de beurre*
- *100 g de sucre de canne*
- *1 œuf*
- *Le jus et l'écorce de 1 citron*
- *Gelée de citron (voir p. 176)*
- *Quelques cuillerées de lait, si nécessaire*
- *1 pincée de sel*

• Ajoutez à la farine le sucre, l'œuf, le beurre en copeaux, une pincée de sel puis le jus de citron. Travaillez la pâte et, si nécessaire, utilisez quelques cuillerées de lait pour l'assouplir : vous devez obtenir une préparation plutôt compacte, mais toutefois crémeuse.

• Tapissez avec la pâte un moule beurré et, en veillant à faire des bords assez épais. Réservez une petite quantité de pâte. Sur le fond de pâte, étalez la gelée de citron avec une fourchette. Avec la pâte réservée, faites de fines bandes que vous déposerez sur la confiture pour décorer. Faites cuire à four chaud pendant 40 minutes environ.

Entremets Blanche-Neige

Ingrédients pour 4-6 personnes
- *200 g de lait*
- *250 g de crème fraîche liquide*
- *200 g de sucre glace*
- *2 feuilles de gélatine*
- *Le jus et l'écorce de 2 citrons*

• Faites fondre la gélatine avec un peu de lait tiède.

• Versez le restant du lait dans une casserole avec la crème et le sucre glace ; faites cuire à feu doux en remuant sans arrêt jusqu'à ce que le liquide commence à bouillir. Ensuite, ôtez du feu, ajoutez la gélatine et le jus de citron filtré et légèrement tiédi, ainsi que l'écorce finement râpée. Mélangez délicatement jusqu'à obtention d'une crème homogène. Versez dans un moule et laissez prendre au réfrigérateur.

Fruits

Salade de fruits vitaminée

Ingrédients pour 4 personnes
- *3 pommes*
- *2 poires*
- *4 tranches d'ananas (frais de préférence)*
- *3 cuillerées de raisins secs*
- *1 yaourt*
- *Le jus et l'écorce de 1 ½ citron*
- *3 cuillerées à soupe de miel*

• Lavez soigneusement les pommes et les poires, enlevez les pépins, et coupez-les en petits morceaux. Ajoutez les tranches d'ananas coupées en dés, et le raisin que vous aurez au préalable fait tremper dans de l'eau tiède.

• Dans une tasse, mélangez le yaourt, le jus de citron et le miel : il faut obtenir une crème fluide que vous utiliserez pour assaisonner les fruits.

• Enfin, saupoudrez la salade de fruits d'écorce de citron finement râpée.

Confiture de citrons et de pamplemousses

Ingrédients
- *1 kg de citrons*
- *2 gros pamplemousses*
- *2,5 kg de sucre de canne*
- *3 l d'eau*

• Lavez les fruits, séchez-les et pelez-les en veillant à bien éliminer la partie blanche sous l'écorce ; coupez l'écorce en lamelles. Enlevez la peau et les pépins des quartiers et coupez-les en morceaux, en recueillant le jus avec précaution. Mettez dans une casserole la pulpe des fruits, l'écorce et l'eau, faites bouillir, ensuite baissez la flamme et laissez mijoter pendant plus d'une heure en remuant de temps en temps. Ajoutez le sucre en remuant pour le faire complètement fondre, et laissez cuire pendant encore une demi-heure, jusqu'à obtention d'une préparation suffisamment dense. Laissez tiédir et versez la confiture dans des pots en verre, ébouillantés et parfaitement séchés.

Gelée de citron

Ingrédients
- *1 kg de citrons*
- *Leur écorce*
- *4 pommes*
- *4 kg de sucre de canne*

• Coupez les pommes en tranches sans les peler et faites cuire dans un peu d'eau, jusqu'à obtention d'une préparation onctueuse.

• Filtrez à travers un tissu propre et recueillez le jus de pomme dans une casserole ; ajoutez le jus des citrons, l'écorce privée de sa partie blanche et coupée en lamelles, puis le sucre. Faites cuire à feu très doux en tournant sans arrêt. La gelée est prête quand, en versant une goutte sur un plan incliné, celle-ci se fige et ne coule pas. Laissez tiédir puis versez dans des pots en verre.

Sirop de citron

Ingrédients
- *600 g de citrons*
- *Leur écorce*
- *250 g d'eau*
- *600 g de sucre de canne*

• Dans une casserole, versez l'eau et le sucre, mettez sur le feu et, en tournant sans arrêt, faites dissoudre le sucre. Ajoutez le jus des citrons et faites bouillir le sirop. Laissez bouillir pendant 5 minutes et, peu avant la fin de la cuisson, ajoutez l'écorce des fruits finement râpée. Laissez refroidir ; filtrez le sirop et mettez-le en bouteilles.

Liqueurs

Citrons et oranges à l'eau-de-vie

Ingrédients
- *1 kg de citrons*
- *1 kg d'oranges*
- *800 g de sucre de canne*
- *1 l d'eau-de-vie*

• Pelez les fruits, enlevez la peau blanche qui recouvre les quartiers et coupez-les en morceaux, si possible de la même dimension. Commencez à remplir un bocal à fermeture hermétique avec la pulpe des fruits en saupoudrant de sucre ; continuez jusqu'aux trois quarts du bocal. Couvrez les fruits avec l'eau-de-vie en la versant lentement pour vous assurer qu'elle arrive jusqu'au fond du bocal. Fermez le récipient et conservez-le dans un endroit frais et sombre. Il est préférable d'attendre un ou deux mois avant de consommer le produit, afin que l'alcool puisse bien imprégner les fruits.

Punch chaud au citron

Ingrédients pour une personne
- *½ verre de vin rouge sucré*
- *Le jus et l'écorce de 1 citron*
- *1 cuillerée à soupe de miel*
- *½ verre d'eau*

• Chauffez le vin sans le faire bouillir. À part, faites bouillir l'eau dans laquelle vous aurez ajouté le miel et l'écorce de citron râpée. Quand elle bout, ôtez du feu, ajoutez le vin et le jus de citron, mélangez et buvez tout de suite.

Table des matières

Première partie
LE VINAIGRE